# 子規を「ギャ句」る

## 名句をひねると「ギャ句」になりました

夏井いつき



光文社新書

# はじめに

ギャ句とは何か。

有名俳人の名句の、一字一音を替えることによって、意味を愕然と変えてしまおうという一種の言葉遊びである。

**「最も少ない言葉変換による、最も大きい意味変換」**

ギャ句の本質は、この一文に尽きる。

そもそもギャ句は、俳人杉山久子を宗匠として始まった。

**痩馬のあばれ危険や秋高し**　原句「痩馬のあはれ機嫌や秋高し　村上鬼城」

**心中や白きてのひらあしのうら**　原句「新涼や白きてのひらあしのうら　川端茅舎」

**キャバクラを驚かしたる股間あり**　原句「鎌倉を驚かしたる余寒あり　高浜虚子」

**行く春や疣胼胝魚の目がなんだ**　原句「行く春や鳥啼き魚の目は泪　松尾芭蕉」

宗匠のこれら珠玉の作品に感動し、日本ギャ句協会会長を自称し始めたのが、ワタクシ夏井いつき。この遊びに参加する人々はギャ句ラーと呼ばれ、年々その数を増やしている。

たかがダジャレだろうと、ギャ句を馬鹿にしてはいけない。

ギャ句を楽しむためには、まず原句を知らなくては始まらない。今回は「子規の句を原句とする」という兼題で、ブログとHPにてギャ句を募集した。参加したギャ句ラーたちは、正岡子規の句を読み漁ったに違いない。一句一句を舌頭に千転し、ギャ句るためのアイデアを練る。韻を踏める新しい言葉を探す。これら一連の作業は、己自身の俳句修行においても大きな効果をもたらす。

**①名句を読む。**

**②名句を覚える。**

**③韻の働きが体に叩き込まれる。**
**④語彙が増え、言葉に対する感覚が鋭敏になる。**

言葉を楽しみつつ、仲間たちと笑い合いつつ、こんな得を手にできるのが、ギャ句という遊びなのだ。

本書は、ギャ句界の重鎮金子どうだ先生が技術指導を担当して下さっている。ギャ句における様々な技を知ることで、ギャ句はますます楽しくなる。

いきなり俳句に手を出すのはハードルが高いと感じている皆さん、句作に行き詰まっている皆さん、柔らかい発想やアイデアを手に入れたいと願う皆さん。ギャ句という遊びから始めてみる、ギャ句というトレーニングを取り入れてみる。そこから新しい何かが展開するかもしれない。やって損することは微塵もない。それがギャ句なのだ。

日本ギャ句協会会長　**夏井いつき**

## 凡例

原句の表記は、松山市立子規記念博物館「正岡子規俳句検索システム」のデータベースをそのまま使用している。そのため、歴史的仮名遣いと現代仮名遣いが混在した表記となっている。また、原句の季語、及び季語の分類も、同データベースによっている。ただし、著者の判断により、現在の一般的な歳時記の分類に改めたものについては、その旨の注を付している。

本書は、春夏秋冬毎に、原句で使われている季語を五十音順に並べており、季語はそれぞれ、「分類」・「季節の区分」・「季語解説」の順に記載している。その際、「新年」の季語は別建てにせず、「冬」の季語の中に組み込み、季節の区分を「新年」とした。

**松山市立子規記念博物館　正岡子規の俳句検索**

https://sikihaku.lesp.co.jp/community/search/index.php

**参考歳時記**


『カラー版　新日本大歳時記　春』飯田龍太・稲畑汀子・金子兜太・沢木欣一　講談社　２０００年２月21日

『カラー版　新日本大歳時記　夏』飯田龍太・稲畑汀子・金子兜太・沢木欣一　講談社　２０００年４月19日

『カラー版　新日本大歳時記　秋』飯田龍太・稲畑汀子・金子兜太・沢木欣一　講談社　１９９９年10月29日

『カラー版　新日本大歳時記　冬』飯田龍太・稲畑汀子・金子兜太・沢木欣一　講談社　１９９９年12月20日

『カラー版　新日本大歳時記　新年』飯田龍太・稲畑汀子・金子兜太・沢木欣一　講談社　２０００年６月20日

# 目次

## 夏

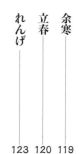

## 秋

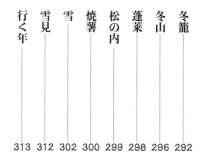

# 春

spring

## 暖か

あたたか

◆時候　三春

**季語解説**

暑くもなく冷え冷えともしない、春の心地よい温度。冬を越した春の暖かさは、体だけでなく心にも快い。

# あたゝかな雨がふるなり枯葎　子規　明治23年

**原句解説**

寒さがゆるみ、暖かな雨が降る。枯れて乾ききった枯葎《かれむぐら》を潤してゆく。心の渇きが癒やされるような安らかな情景。乾いた蔓草《つるくさ》に当たる雨の音も優しい。

★☆☆

# あたたたた姉がふるなり彼無職　佐東亜阿介

この名句に対して、もうちっとましなギャ句が出て来て欲しかった（笑）。無職の彼氏が姉に痛々しく振られている情景を、冷ややかに見ている妹か弟か。原句の情緒は一切ないけれどちょっと笑った。下五の音、むぐら→むしょくは、やや離れすぎ。星一つ。

★★★

# あたゝかな亀がふるなり枯葎

樫の木

原句の穏やかで伸びやかな春への思いが残されている。シンプル技二つの組み合わせギャ句だが、降ってくるものが雨じゃなくて亀！　あたたかな亀が降る景色ってバカバカしくも楽しい。星二つ！

**ギャ句技解説**

**台詞変換**　二音の変換で音の近い台詞に。（あたゝ）かな→（あたた）たた

**シチュエーション変換**　二音の変換で全く違う状況に。枯葎→彼無職（かれむ）ぐら→（かれむ）しょく

**名詞変換**　雨→姉　雨→亀

## 鶯《うぐいす》 ◆動物　三春

**季語解説**

夏の時鳥に対して、春は鶯。早春から鳴くので、春告鳥《はるつげどり》の別名も持つ。

# 鶯や木魚にまじる寛永寺

子規　明治20年

**原句解説**

寛永寺へ参ると、木魚の音に混じり鶯が鳴いた、風流だなあ。寛永寺は、寛永二（一六二五）年、徳川幕府の安泰と万民の平安を祈願するため、江戸城の鬼門（東北）となる上野に建立された天台宗の寺。

★★★

# 鶯や木魚にまじるカンツォーネ

山内彩月

木魚を叩きながら和尚がカンツォーネを歌ってる、楽しげな場面が浮かぶ。星二つ！

**ギャ句技解説**

**匂い付変換**　寛永寺→カンツォーネ

金子どうだセンセーのギャ句上級講座

これはじゃな、連句の世界で言う所の、「匂い付※」じゃな。寛永寺→カンツォーネは、全然別物の言葉ながら、雰囲気はどことなく合っているじゃろ。【匂い付変換】と名づけよう。まあよくがんばったじゃ内科小児科肛門科。うっほほーん。

※匂《にお》い付《づけ》：複数の吟者が寄り集い、前句に後句の付合《つけあい》を続ける文芸を連句というが、その連句の付合の手法。前句と付句との間の気分や情趣を調和させて、雰囲気で句を付ける技。蕉風（芭蕉一門の俳風）で用いられた。

## 鶯やとなりつたひに梅の花

子規　明治23年

**原句解説**　鶯がわが家の梅の木から、垣根を越えて隣の梅の木へ移動して鳴く、という句。

# 鶯やとなりTSUTAYAに梅の花　かったろー。

★★★

隣のTSUTAYA※の方で鶯が鳴いている、ああ、TSUTAYAの梅も咲いたな、というギャ句。TSUTAYAの固有名詞が、なんとなく梅と鶯にマッチしてる気がする。星二つ。

※TSUTAYA：書店、音楽・映像ソフトのレンタル店として日本最大手のチェーン店。その他、ゲーム販売、中古品・古本の買い取りや販売、文具・雑貨販売、動画・音楽配信事業、ネット通販事業、出版・映像・音楽事業など。

**ギャ句技解説**

**アルファベット変換**

変換は一音のみ。つたひ→TSUTAYA（つた）ひ→（つた）や

## 鶯の鳴きさうな家ばかりなり　子規　明治29年

**原句解説**

庭に鶯が鳴きそうな梅の木のある家ばかり、春らしいなあ。根岸の子規庵の最寄りの駅は「鶯谷」というくらいだから、昔から鶯の名所だったのかもしれない。

## 鶯の泣きさうな遺影ばかりなり

レミオン

鶯の家にも先祖の遺影が飾られているのだろうか。どれも泣きそうな顔の鶯ばかりで……。鶯の世界もあわれだ。

## 鶯の鳴きサウナ入るばかりなり

堀口房水

鶯も鳴いていることだし、サウナにでも行くっきゃないなって句か？　それともご家庭サウナの温度設定装置に、温まったら鶯の鳴き声のお知らせメロディが流れるというのもありか？

★★★

# すぐ鍵の開きそうな家ばかりなり

あいむ李景

あいむ李景は思い切ってシチュエーションの変換を試みてきた。うまい。星二つ。

**ギャ句技解説**

**名詞変換** 一音足して、印象をがらりとかえる。家→遺影（いえ）→（いえ）い

**同音カタカナ変換** さうな→サウナ

**品詞変換** 一音の変換で名詞を動詞に。家→入る（い）え→（い）る

**シチュエーション変換** 鶯の鳴きさうな→すぐ鍵の開きそうな

**梅**《うめ》 ◆植物　初春

**季語解説**

早春、百花にさきがけて咲く花。姿の気品と芳香が古来より詩に歌われ愛されてきた。梅が咲いたら春、鶯が鳴いたら春である。

# うれしさや梅の盛を二度も見て　子規　明治22年

原句解説

嬉しいなあ。梅の盛りを一度見て、二度目をまた見た。梅にしろ、桜にしろ、地域によって開花の遅速を楽しめる。

## うれしさや産みの苦しみ二度も経て

いさな歌鈴

嬉しいのはわかる。苦しいのもわかるが、ギャ句としては変換しすぎだろ？

金子どうだセンセーのギャ句上級講座

梅の盛〈〈う〉め〈の〉さかり〉→産みの苦しみ〈〈う〉み〈の〉くるしみ〉。見て〈み〈て〉〉→経て〈へ〈て〉〉。中七、下五で残ってるのは「二度も」のみ。字面も遠けりゃ音も遠い。このような、何となくこうなったというギャ句は、これも一つの【匂い付変換】と、言っておこう。まあ、薄い匂いじゃが、うほん。

季語解説

朧月《おぼろづき》◆天文　三春

朧《おぼろ》とは物の姿が霞んではっきりと見えない様。春特有の水蒸気にうるんでぼんやりと見える月。

朧月どこまで川の長いやら　子規　明治26年

原句解説

うるんだ朧月の下を川の流れがどこまでも長く続き、果ては霞んで見えない。

★★★

朧月どこまで顔の長いやら

誉茂子／小市
（同ギャ句二名）

朧月の下、長い顔がどこまでも長く続き、果てが見えないというギャ句。※ゲゲゲの鬼太郎に出てくる妖怪※一反木綿か？ 一口に長いと言っても、おでこが長い人、顎が長い人、はたまた鼻の下の辺りが長い人もいる。星一つ。

※ゲゲゲの鬼太郎：水木しげるの漫画作品。墓場から生まれた幽霊族の少年鬼太郎と妖怪たちにまつわる物語。
※一反《いったん》木綿《もめん》：鹿児島県肝属郡高山町（現・肝付町）に伝わる妖怪。

**ギャ句技解説**

**名詞変換** 変換は一音のみ。川→顔（か）わ→（か）お

**金子どうだセンセーのギャ句上級講座**

おお、なかなかのもんじゃ焼き。まあ、面白さは中くらいじゃが。うほん。

# 行燈の火を消して見ん朧月

子規　明治26年

**原句解説**

朧月が綺麗だ。行燈の火を消して見よう。皇居に電灯が入ったのは明治二十二年だというから、一般家庭に電灯が点いたのはもっと後のこと。子規の人生の大方は行燈で本を読んでいたのだろう。

★★★

## 行燈の火を消して見んろくろ首

ゆすらご

「朧月」が「ろくろ首」に変わった⁉　面白いが、母音はやや遠く、リズムが合っていないのが残念。

**ギャ句技解説**

名詞変換　朧月→ろくろ首

金子どうだセンセーの
**ギャ句上級講座**

まず音に敏感になり、次に意味に敏感になれ、こほっ。
ギャ句添削：行燈の火を消して見んおもろすぎ　金子どうだ
まあ、これもあまりおもろくないか。ひとつよろしく哀愁！　うほん。

**季語解説**

水蒸気によって春の夜の万物がうるみ霞んで、朦朧《もうろう》と幻想的に見える様子。

**朧夜**《おぼろよ》◆**時候　三春**

## 朧夜にくづれかゝるや浪かしら　子規　明治25年

**原句解説**

浪かしらは波頭《なみがしら》のこと。朧夜に波の盛り上がった頂が白くぼんやりと立ち上がり、ぼんやりと崩れかかる、もの柔らかな春の水際。

# 朧夜にくづれかゝるや何かしら

みんとてぃー

みんとてぃーは、うるんだ朧夜の闇に崩れかかるのは何かしら？　という疑問形。「浪かしら」という古語の表記を使ったギャ句。また、何かしらが崩れかかる、という使い方もある。変換が少ないのはいいんだけど、崩れかかる物が何だかわかればもっと面白くなる。あと一歩。

**ギャ句技解説**

**台詞変換**　二音の変換で台詞に。浪かしら→何かしら　（な）みが（しら）→（な）にか（しら）

金子どうだセンセーのギャ句上級講座

その通り。あと一歩じゃったの、みんとてぃー。朧夜に崩れかかるものと言えば、やっぱこれじゃろ。いやいやこれはあくまで句の上の言葉の遊び。こほん。

ギャ句添削：朧夜にくづれかゝるや膝がしら　金子どうだ
しかしじゃ、俳号が「みんといてー」に見えるのう。うほん。

季語解説

日ざしの強い日、遠くの物が揺らめいて見える現象。地表近くの温まった空気が上昇し、温度の違う空気の層を通して見る物は、光の屈折率の変化により揺らいで見える。

陽炎《かげろう》　◆天文　三春

# 陽炎や南無とかいたる笠の上　子規　明治24年

原句解説

陽炎が、遍路の笠の「南無」の字の上にゆらゆら揺らめいている。まさに春闌《た》けた景色である。ちなみに、「南無」とか「同行二人」と、墨で書いた笠を被って四国内八十八か所の霊場を巡拝する「遍路」も春の季語。

★★★

# 陽炎やTOMとかいたる笠の上

シュリ

こちらのギャ句では、笠に書いた文字が南無ではなく、「TOM」になっている。四国に観光に来て遍路体験している外国人トムの姿か、はたまた、東京（T）、お遍路（O）、メンバーズ（M）の集いなのか。たった一文字、一音変換で登場人物を変え、しかも季語「陽炎」が遍路姿を際立てる原句のよろしさを生かしたギャ句はあっぱれ。星三つ！

**ギャ句技解説**

**人名変換**と**アルファベット変換**のダブル技。一音の変換で人名に。南無→TOM　な（む）→と（む）

**金子どうだセンセーのギャ句上級講座**

さらに上を目指すギャ句ラー諸君！「TOMとかいたる→TOMとか、いたる」

のように句の切れ目を変えれば意味が変わり、新たなギャ句の可能性が生まれるのじゃ、うほん。

今思い出したんじゃが、こういう句の切れ目を変える読み方を、巷では「ぎなた読み」と言うらしいのう。「弁慶が、なぎなたを持って」と読むべきところ、「弁慶がな、ぎなたを持って」と、文章の句切りを誤って読んだことに由来するそうな。句の切れ目を変えていくことを【ぎなた変換】と呼ぶのはどうじゃな。どんどん使っていきたい変換じゃ、うほん。

# 陽炎や七年前の顔見ゆる　子規　明治30年

**原句解説**　陽炎のゆらぎの中に何かが見えるようだ。あれは七年前のあの時の面影だろうか。

# 陽炎や七年前の由美かおる

★★★

野ばら

七年前の由美かおる※と言えば、水戸黄門シリーズの「かげろうお銀」！　毎回の入浴シーンが評判やったねえ。かおみゆる↓ゆみかおると、同じ音で語順を並べ替えて遊んだだけとは、あっぱれ技あり、星三つ!!

※由美《ゆみ》かおる：一九八六年から、人気時代劇『水戸黄門』に、かげろうお銀役（後に疾風のお娟役）でレギュラー出演。三十四年間で二百回の入浴シーンを記録している。

**ギャ句技解説**

**人名変換**と**アナグラム変換**のダブル技。語順を変換して人名に。顔見ゆる↓由美かおる

かおみゆる↓ゆみかおる

### 金子どうだセンセーのギャ句上級講座

これも今思い出したんじゃが、語順入れ替えひっくり返し遊びのことを巷で、「アナグラム」と言うんじゃった。名付けて【アナグラム変換】じゃな。アナグマ変換でもよいか、うほん。

霞《かすみ》◆天文　三春

**季語解説**

春になって水蒸気がたなびき、ぼんやり潤んで景色がはっきりと見えない様子。

## あめりかの波打ちよする霞かな

子規　明治22年

**原句解説**

アメリカから打ち寄せてきた波だ、その波の泡から生まれた霞だ。霞たなびく空と海を前に、世界の広さを感じる。

★★★

# あめりかの波打ちよする為替かな　井久

子規の時代、アメリカから打ち寄せて来るものは波くらいだった。今や為替の波が打ちよせて来ているという、国際情勢ネタを入れたギャ句とはさすが。たった二音の変換で、原句の国名も生かした。星二つ。

**ギャ句技解説**

名詞変換　霞→為替　（か）すみ→（か）わせ

**行く人の霞になつてしまひけり**　子規　明治27年

**原句解説**　遠ざかって行く人が霞そのものになったかのように感じている。町なかの景色か、野原か。大景であって、時間の経過も感じられて、すっきりと美しい句。

# 幸仁の佳澄になってしまひけり

★★★

西川由野

そして、このギャ句は何なの、西川由野？　「あたしは今日から幸仁のものよ、幸仁の佳澄になったのよ！」てか？　けっ。星一つとしたいが、結構笑ったので星二つ。

**ギャ句技解説**

**人名変換**一音の変換で人名に。行く人→幸仁（ゆ）く（ひと）→（ゆ）き（ひと）

**同音異字変換**と**人名変換**のダブル技。霞→佳澄

**金子どうだセンセーのギャ句上級講座**

いや、違うのう。昼間は幸仁と呼ばれる男が、夜には佳澄という女になって働いている、という句じゃないのかの？　おほん？

## 雉《きじ》◆動物　三春

**季語解説**

草原や林に生息する日本の国鳥。春に、雄がケーンケーンと雌を呼び、翼を大きく羽ばたくのを「雉のほろろ」と言う。尾が長く、雄は顔が赤く、背に黒、緑、黄、銅色などの斑紋が美しい。雌は尾が短い。

# こよひこそ嬉しそうなり雉の声

子規　明治20年

**原句解説**

今宵こそ嬉しそうに聞こえる雉の声だ。それはどんな声なのだろう？ 昔から、雉の声は「妻恋」の声と歌われてきたので、「今宵こそ恋しい人に会える」と嬉しそうな人がいて、めでたい雉の声を一緒に聞いている、という句かもしれない。

★★★

# こよひこそ嬉しそうなり知事の声

井久

似たような一音の漢字変換がだいぶあった。井久さん一人で、知事、騎士、棋士、義士とバラエティ豊かな登場人物を見せてくれた。ご苦労さん。選挙に再選した夜の知事の声。毎日声を張りあげ戦ってきた知事の声が、今宵こそ本当に嬉しそうである、と。季語はなくなっても、この説得力は素晴らしい。星三つ！

★★★

## こよひこそ嬉しそうなり野次の声　佐東亜阿介

野球やサッカーの試合で贔屓のチームが勝ち出すと、野次の声も弾む。

**ギャ句技解説**

**名詞変換**　変換は一音のみ。雉→知事　き（じ）→ち（じ）、雉→野次　き（じ）→や（じ）

## 胡蝶・蝶 こちょう・ちょう ◆動物 三春

**季語解説**

蝶は、胡蝶をはじめ、黄蝶、紋白蝶、紋黄蝶、小灰《しじみ》蝶、蝶々、舞う蝶、狂う蝶、眠る蝶、他、たくさんの傍題を持つ季語。翅の模様や色が美しい。揚羽蝶など大型の物は「夏の蝶」に分類される。

# 胡蝶飛び風吹き胡蝶又来る

子規 明治23年

**原句解説**

蝶が飛び去ったかと思うと、風が吹き、また別の蝶が飛んで来た。春のうららかな風の中で、次々と蝶がやって来る。

★★★

# 課長クビ風吹き課長又来る

星埜黴円

胡蝶でなく、課長が、クビになって飛ばされ、又新しい課長が来る。チャップリン映画の工場のような流れ作業的な無常さを笑い飛ばす姿勢よし。見た目に変換が多いが、胡蝶×2→課長×2というリフレインのリズムもよし。

**ギャ句技解説**

**同名詞ダブル変換** 一音の変換で名詞をダブル変換。胡蝶→課長　こ（ちょう）→か（ちょう）

**品詞変換** 一音の変換で動詞を名詞に。飛び→クビ　と（び）→く（び）

## 五ツ六ツかたまってとぶ胡蝶哉

子規　明治25年

**原句解説**

数頭かたまってひらひら飛んでいる蝶。子規には蝶の句が多く、随筆「蝶」（『子規全集第12巻』講談社）の中でも、自分が白蝶と黄蝶になりきって二役を演じ掛け合いの台詞を書いている。

★★★

## 五ツ六ツかたまってとぶ機長哉

ペトロア

機長のクビが五、六人一度にとばされた航空機会社の不祥事か、と思えてくるから笑える。

五、六機の飛行機が広い空港から一斉に飛び立つ風景、とも読める。どっちも面白い。星二つ！

**ギャ句技解説**

**名詞変換** 変換は一音のみ。胡蝶→機長　こ（ちょう）→き（ちょう）

# ひらひらと風に流れて蝶一つ　子規

明治26年

**原句解説** ひらひらと、風に吹き流されていく蝶が一頭。

★☆☆

## ひらひらと風に流れて超秘密

西川由野

こちらは風の噂か、ひらひらと噂が流れて来た、超秘密にしていた噂。

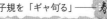

ギャ句技解説
匂い付変換
変換は一音のみ。蝶一つ→超秘密（ちょうひ）と（つ）→（ちょうひ）み（つ）

ひらひらと蝶々黄なり水の上　子規　明治28年

原句解説
遠くから蝶がひらひらと飛んで来た。翅の鮮やかな黄色が水の上にひらひらと映る。

★★★
ひらひらと蝶々気になり水の上　はまゆう

ひらひら、ひらひらと、水の上で羽ばたかれると、水面に映るひらひらが二倍になって、とにかく気になる。星一つ。

**ギャ句技解説**

**シチュエーション変換**　一音足して自分の感覚に。黄↓気に（き）↓（き）に

## ガラス戸の外を飛び行く胡蝶哉　子規　明治33年

**原句解説**　ガラス戸の外を飛んで行くのは、あれは胡蝶だ。鳥類のように直線を飛ばず、ひらひらと弧を描いて、私はここにいますよ、と存在をアピールするように飛ぶ蝶が、子規の眼にも止まった。

★★★

## ガラス戸の外を飛び行く和尚哉　星埜黴円

原句の中心にあった胡蝶が消え、このギャ句には季語がなくなった。その代わりに登場した

のが和尚！　盆時か春の彼岸か、かき入れ時、ガラス戸の外をスクーターで和尚がびゅーんと「飛び行く」光景なんじゃないの。星二つ！

**ギャ句技解説**
**名詞変換**　胡蝶→和尚　こちょう→おしょう（オ・イォ・ウの母音をキープ）

## 佐保姫《さおひめ》◆天文　三春

**季語解説**
奈良の東にある佐保山の化身と言われる春の女神。佐保山を取り巻く薄衣のような春霞は佐保姫が織り、竜田山の紅葉は竜田姫が染める、と和歌に歌われる。

# 佐保姫のもてなしふりや独りたひ　子規　明治24年

**原句解説**
「佐保姫のもてなしぶりや独り旅」と書けばわかりやすい。野に花を咲かせ、山に霞を織りかけ、一人旅の私の眼を楽しませてくれる、もてなしぶりである。

★

# 佐保姫のもてないふりや独りだし

星埜黴円

ガハハハ。佐保姫っていつも独りで、もてない風に見せてるけど、実はもてない振りしてるだけなんじゃないの？　というギャ句。どうでもいいじゃん。星一つ！

**ギャ句技解説**

**匂い付変換** 変換は二音のみ。（もてな）しぶ（りや）→（もてな）いふ（りや）

**オチ変換** たび→だし

**鹿の角落**《しかのつのおつ》 ◆動物　晩春

**季語解説**

鹿の角は春に自然に落ち、初夏に生え変わる。毎年一回生え変わりながら、次第に枝分かれして大きな角となる。

## 鹿の角落てさびしき月夜哉　子規　明治25年

**原句解説**　角が落ちた牡鹿のシルエットが、寂しく浮かんでいる月夜である。

★★★

# 妻の角落てうれしき月夜哉

松本だりあ

がみがみ怒っていた妻の「角」が落ちて嬉しい月夜である。普通ならこれは旦那が言う台詞だけど、自分で言っちゃったか、だりあ。

# 菓子の角落てさびしき月夜哉

★★★

七瀬ゆきこ

せっかく泡立てた生クリームの角が落ちちゃったのか？　鹿→菓子はきれいなアナグラム変換技。

**ギャ句技解説**

名詞変換　鹿→妻

対義語変換　さびしき→うれしき

アナグラム変換　鹿→菓子　しか→かし

**季語解説**

董《すみれ》 ◆植物　三春

草の陰や道の片隅にひっそりと咲く慎ましさ、寄り添って咲く可憐さなどが愛される。どこでも見かける親しみ深い花。

ぬるゝともいざこゝでねん菫草　子規　明治24年

**原句解説**　たとえ草の露に濡れてもいい、さあ、ここで寝よう、菫《すみれ》の花の咲き乱れる草の上で、という句。『万葉集』の世界につながる雰囲気も。

★★★

# ぬるゝともいざこざでんねん菫草

星埜黴円

いくら菫の花が咲いていても濡れた草の上は寝るのも座るのも嫌だよ。このギャ句はバカバカしいけど面白い。「いざこざでんねん」って方言変換が新しい。「いざこざ」って、何なのか？　小さいものから、時事ネタまで、方言で想像がふくらむ。

## ギャ句技解説

**方言変換**

標準語を方言に替えて、ニュアンスを変えて行く技。一音足して関西弁に。（いざこ）こ（でねん）→（いざこ）ざ（で）ん（ねん）

## 季語解説

**鷹化為鳩** たかかしてはととなる ◆**時候　仲春**

古代中国で考案された季節を表す方式である七《しち》十《じゅう》二《に》候《こう》の一つで、三月十六日～二十日頃。春の季節には鷹も鳩に変わる、という中国の俗信に由来する名。春の優しくて幻想的な気分を表す季語。

# 鷹鳩になりけり鳥は帰りけり

**子規　明治32年**

**原句解説**

鷹は鳩となり、鳥達はみな帰った、のどかな春の景色だ。「鳥帰る」は、雁や鴨など、秋冬に日本へ飛んで来た渡り鳥が、春になって北方へ帰る春の季語。

# プレバトになりけり我は帰りけり

城ヶ崎由岐子

「帰る」というキーワードを生かしている。『プレバト‼』※が始まる時間になるから失礼しますと、さっさと家に帰れる幸福な人種。

※プレバト‼：毎週木曜日の十九時から放送されている毎日放送（MBSテレビ）制作のバラエティ番組。TBS系列で放送されている。前身の『使える芸能人は誰だ⁉　プレッシャーバトル‼』という番組名から『プレバト‼』のタイトルとなった。人気の俳句コーナーは、夏井の担当。「俳句の才能査定ランキング」で、芸能人の俳句を、「才能アリ」、「凡人」、「才能ナシ」のランクに分け、才能やセンスの程度を査定する。

**ギャ句技解説**

**匂い付変換**　似た音を持つテレビ番組名に。鷹鳩→プレバト

**名詞変換**　鳥→我

# 鷹鳩になる還暦の祝かな　子規　明治35年

**原句解説**

鷹が鳩に変わるような麗らかな春日に還暦祝いとは、めでたいことだ。鷹みたいに肉食系で猛々しかった人が、還暦を過ぎたあたりから鳩のように穏やかになったイメージも加わる。

★★★

## 鳩鷹になる還暦の祝かな　花屋

鷹と鳩が逆転したらコワい。還暦を過ぎて、鳩みたいにおとなしかった人が、急に鷹の様に強気になった、という。本人はストレスが溜まらないだろうが、家族には大迷惑だろう。

**ギャ句技解説**

**アナグラム変換**

漢字二字をそのままひっくり返し、意味も逆転させるひねり技。鷹鳩→鳩鷹

凧《たこ》◆人事※　三春

※人事：人間に関すること。

季語解説

春風に乗ってのんびり泳ぐ凧にはいかにも春らしい風情がある。暑くも寒くもないぽかぽかした日和の中で、のどかに凧合戦なども行われる。

# きれ凧の川渡り行く嵐哉

子規　明治26年

原句解説

切れた凧が川に落ちて、川面を泳ぐように渡って行く、すごい嵐だ。

★★★

# キレた子の川渡り行く嵐哉

南山手

キレた子が川に飛び込んで、向こう岸までざぶざぶ渡って行く、嵐の中をってことだね。すごい場面だ。単語の切れ目を変えているのはチャレンジではある。

ギャ句技解説

ぎなた変換

意図的に切れ目を変える技。きれ凧→キレた子　きれ／たこ→きれた／こ

# 二村の凧集まりし河原かな

子規　明治29年

原句解説

二つの村の村民総出の凧揚げ大会。二村分の凧が集まっている河原の眺めは壮観だろう。私も内子町で五月五日に開催されるいかざき大凧合戦に参加したことがある。小田川を挟んで約五百の大凧が空中に舞う中、大凧に俳句を書いて揚げるのは楽しかった。

★

## 二村のゴミ集まりし河原かな

休離ぐさ

二村分のゴミとは大量だが……。河原に捨てたんじゃないよね！

## 二群の蛸集まりし河原かな

★

松永裕歩

どんな群とどんな群？　メス対オス？　太平洋産対日本海産？　国産対輸入？

## 二村の蛸集まりし瓦かな

★

播磨陽子

屋根瓦の上に二村分の蛸が干されてあるのか？　想像すると怖い風景。

### 金子どうだセンセーのギャ句上級講座

凧→蛸の【同音異字変換】は普通じゃが、たこ→ゴミはあまりに遠すぎる。河原と瓦の【同音異字変換】もありがちだぞ。迷った時は、「ギャ句の基本」に戻れ。すなわち、①音が近く、②変換が少ない。母音の近い言葉を当たるんじゃ。濁点を付けてみるのもよし。「たこ」と「かわら」で一音一音、一語一語粘って見つけるのじゃ。あほらしもない、こんな努力が何になる？　と疑うでない。子規が俳句を作る時にはもっと粘って、もっと吟味したはずじゃ、うほん。ごほん。

ギャ句添削：

二村の箱集まりし宝かな　金子どうだ（宝探し）

二村の耶蘇集まりし厠かな　金子どうだ（清掃奉仕）

二村の孫集まりし柔かな　金子どうだ（柔道大会）

**季語解説**

**蒲公英《たんぽぽ》**　◆植物　三春

地表近くに生えるぎざぎざの葉の上に咲く明るい黄色い花。世界中どこでも見られ、白い絮《わた》は風に乗って飛んで行く。

# 蒲公英やローンテニスの線の外

子規

明治31年

### 原句解説

芝生の上に引かれたコートの白い線の外側に、蒲公英が咲いている。のどかだ。明治時代、子規の好きな野球もローンテニスも西洋から入って来た。ローンテニスとは、lawn（芝生）のコートで行うテニスのこと。

★★★

## 担保なくローン限度の枠の外

桜井教人

原句とギャ句のあまりのギャップに笑える典型的ギャ句。ギャ句ラー仲間でも真面目一筋で知られる教師の教人さんがローン限度の枠の外、なんて句を詠むっていうギャップもあって楽しい。上五・中七・下五全て変換しすぎ、とも言えるがともかく笑える。星三つ！

### ギャ句技解説

**シチュエーション変換** 蒲公英や→担保なく

**名詞ダブル変換** （たんぽ）ぽや→（たんぽ）なく
（ローン）テニス（の）線（の外）→（ローン）限度（の）枠（の外）

## 散桜《ちるさくら》

◆植物　晩春

季語解説

咲き誇る桜の花が惜しげもなく散っていく。花の散り様は、日本人の美意識にも合っていて、その潔さも愛でられる。はかなく散る花の姿を、昔から歌人や俳人はこぞって詠んできた。

# 散りかけた花におそろし下駄の音

子規　明治23年

原句解説

散りかけた桜の花にとっては、荒々しい下駄の音も恐ろしいことだろう。

★★★

# 散りかけた花におそろしデスノート

満る

散りかけた桜の樹の下に、デス※ノートが落ちているのは恐ろしいことだ、というギャ句。それが確かに恐ろしく、結構美しい。ちょっと聞きたい、デスノートって一目見たらわかるの？

え、表紙に「デスノート」と書いてある？　それならちょっと可笑しいぞ。

※デスノート：『週刊少年ジャンプ』に連載された、原作・大場つぐみ、作画・小畑健の少年漫画『DEATH NOTE』に出てくる、名前を書くとその人間を死なせることができるノート。ドラマ化、映画化、アニメ化、舞台化、小説化もされ、幅広くメディア展開されている。

**ギャ句技解説**

**名詞変換**と**カタカナ変換**のダブル技。変換は二音のみ。下駄の音→デスノート　げた（のおと）→デス（ノート）

## 土筆 つくし ◆植物　仲春

季語解説

つくづくし・つくしんぼ・筆の花などとも呼ばれる。早春、日の当たる土手や畦道に生える。筆のような形をしているので土筆という字がついた。土筆飯、土筆汁、土筆のお浸し、土筆の卵とじなどにして食べる。

# 土筆煮て飯くふ夜の台所

子規　明治34年

原句解説

土筆を煮て飯を食っている、夜の台所であるよ。「つくしほど食ふてうまきはなく、つくしとりほどして面白きはなし」と書いているほど、子規は土筆が好きだったようだ。妹が採って来た土筆を母が煮て食べている風景か。

★★★

# 追試にて飯くふ夜の台所

紅梅子

季語はなくても、ギャ句の方も同じ味わい。お母さんが追試の子に夜食を食べさせている情景。季語がなくなり、土筆料理だと断定できなくなったが、秋の季語「夜食」の雰囲気はある。

星二つ。

**ギャ句技解説**

**匂い付変換**

変換は一音のみ。　土筆煮て→追試にて　（つ）く（しにて）→（つ）い（しにて）

**道のべにたまたま土筆一つかな**　子規　明治34年

**原句解説**

道端にたまたま生えていた土筆を一つ見つけた、幸福な気持ち。

# 道のべにたまたまTAXI一つかな

★☆☆

紅梅子

歩き疲れた頃、たまたま、あ、こんなところにタクシーがっ、と嬉しくなった。つくし、タクシー、つくし、タクシー……って、十回くらい唱えたら聞こえてきそう。十回連呼しないといけないギャ句に、星一つ。

金子どうだセンセーの**ギャ句上級講座**

**いやいや、これは新しい技かもしれんのう。テレビの空耳アワー※みたいに、聞いてるうちにまさにそう聞こえて来る技を、【空耳変換】と呼ぼう、おほほほーん！**

※空耳《そらみみ》アワー：テレビ朝日系列バラエティ番組『タモリ倶楽部』内のミニコーナー。「あたかも日本語のように聞こえる外国語の歌詞（空耳）」の視聴者投稿にイメージ映像を交えて紹介する内容。例えば、クイーンの“Somebody To Love”の「But everybody wants to put me down」→「エブリバディわしゃこけた」。

## つつじ ◆植物　晩春

**季語解説**

野山に自生するつつじ。晩春から初夏にかけて白、紅、朱、紫など次々と開花し、つつじの名所などでは、全山燃えるようなつつじの景観も楽しめる。

# かけはしやあぶないとこに山つゝし　子規　明治25年

**原句解説**

山川に架かるかけ橋などを渡っていると、危なくて登れないような崖に山つつじが美しく咲いている。これぞまさしく高嶺の花。

★★★

# かけもちやあぶないことにヤバつゝし　ひでやん

例えば、前出の「あたゝかな亀がふるなり」（15ページ）っていう意味のなさはどこかで詩につながるが、山つつじをヤバつつじって、この意味のなさはもうどうしようもないね……。

**ギャ句技解説**

**匂い付変換** かけはしや→かけもちや

**ダジャレ変換** できれば避けたい技。山つゝし→ヤバつゝし

**金子どうだセンセーのギャ句上級講座**

ギャ句も詩であれ、ということじゃ。俳句が季節や生き物を詠う詩なら、川柳は何じゃと思う？　川柳は人間や物事を笑い飛ばす詩じゃ。川柳にもギャ句にも詩が必要なんじゃ。ダジャレさえ言えばギャ句になると思ったら大間違いじゃ。ひでやん、ギャ句の素振り千本じゃ、いや、千句追加じゃ～ッ、ごほん。げほん！

# 椿《つばき》

◆植物　三春

**季語解説**

早春に咲き始め、濃い緑の艶やかな葉の間に紅く白く、一重に八重に咲き、種類の豊富さで目を楽しませてくれる。花弁が散らずにぽとり、と落ちる風情も良い。

## 公園の林の中に椿かな　子規

明治34年

**原句解説**

公園の林の中に椿が咲いていることよ。明治時代の公園は、その昔将軍家の庭園だった土地などを、桜を植えて開放したもので、庶民の憩いの場となった。

★★★

## 講演の囃しの中に唾かな

佐東亜阿介

読みは全部同じ。こうえんのはやしのなかにつばきかな。これに違う漢字を充てて、違う場面にした技は認めよう。でも、講演していたら、客席から囃されて、唾が飛んできたっていうのは嫌だよ（笑）。季語もなくなってるから、星一つ！

ギャ句技解説

同音異字同時変換

音は全く同じで、上五・中七・下五の単語を全部変える大技。公園→講演
林→囃し　椿→唾

二月《にがつ》◆時候　初春

季語解説

暦の上では二月の初めに春になる。早春とはいえ、まだまだ寒い日が続く。

# 寝るひまもあつてうれしき二月哉

子規　明治26年

原句解説

二月は逃げるといって世間は気忙しいものらしいが、幸いゆっくり寝る暇もあって、嬉しい二月である。元気なうちはせっせと働いただろう勤勉な子規。今日はひさびさに寝る暇があって嬉しい、という気持ちに共感。

# 寝る居間もあってうれしき二月哉

★★★

小笹いのり

寝る居間があって嬉しいっていうことは、一間しかなかった家から二間ある家に引っ越したのか。子供は全員奥で寝て、親は居間に布団敷いて、とりあえず別々の部屋で寝られて嬉しいのだろう。この貧乏くささが日本的。星一つ。

**ギャ句技解説**

**名詞変換** 変換は一音のみ。ひま→居間　ひ（ま）→い（ま）

## 長閑《のどか》 ◆時候　三春

**季語解説**

春の日はゆったりと長い。穏やかで和やかな春の天地風物の様相。

### 長閑さや原に残りし牛一ツ　子規

明治22年

**原句解説**

牧場の草を食んでいた牛の群れが動いて行った。と思ったら、一頭の牛が残って、まだ草を食べている。のどかな風景である。

★☆☆

長閑さや腹に残りし牛一つ

井久

★☆☆

長閑さや原に残りし牛ーッ

星埜黴円

# 長閑さや腹に残りし牛肉ーッ！

★

城ヶ崎由岐子

これは笑った。北海道の牛飼い俳人鈴木牛後氏※と、ぜひ語り合いたい。こんな優しい牧歌的な句なのに、食べて「腹に残」ったり、「牛ーッ」なんて読んだ人が結構いた。がそう言われれば、「牛ーッ」に見えてくる。【老眼変換】と名付けたいくらい（笑）。三句目のギャ句に至っては、「牛肉ーッ！」どれだけ牛肉に飢えてるのか、この人は（笑）。全員、星ーッ！

※鈴木牛後《すずきぎゅうご》：北海道在住。第64回角川俳句賞受賞。酪農家の生活を主題とした作句活動を行う。

**ギャ句技解説**

**同音異字変換** 原→腹

**老眼変換** 見た目から変換。牛一つ→牛ーッ

**オチ変換** 肉の字を足して、音は関係なく下五でのオチを狙う。牛一つ→牛肉ーッ！

# 長閑さや障子の穴に海見えて

子規

明治25年

**原句解説**

のどかだなあ。障子の穴から穏やかな春の海が見えている。

★

# 長閑さや障子の穴に臍見えて

堀アンナ

障子の穴から臍が見えている……このお腹出して寝てるのが可愛い孫であって欲しいよ。祖父の臍じゃ、のどかの種類が変わってしまう。それにしても、うみ↓へそ、は音が遠すぎる。

**金子どうだセンセーのギャ句上級講座**

せめて母音が同じであって欲しいのう。海（ウイ）↓臍（エオ）、じゃからなあ。母音が「ウイ」で穴から見えそうな物を探してみよう。牛、櫛、口、国、すり、文、鞭、ムヒ、無理、留美、となんぼでもあるぞい。ワシが選んだ一つはこれじゃ。おほん。

ギャ句添削：のどかさや障子の穴につい見えて　金子どうだ

**ギャ句技解説**

**母音揃変換**　海（ウイ）→つい（ウイ）

## 畑打《はたうち》 ◆人事 三春

**季語解説**

春植える作物の種を播くために畑の土を耕すこと。彼岸（三月二十日前後）から、八十八夜（五月初め）頃にかけて行われることが多い。

# 子を負てひとり畑打つやもめかな

子規 明治27年

**原句解説**

やもめが一人で赤んぼをおんぶして畑打ちをしている。やもめとは、配偶者を亡くした独身者のこと。お母ちゃんが出てったのか、死んじゃったか。見ている人も切なくなってくる。

★☆☆

# 子を負てひとり畑打つ止めよかな

南山手

ギャ句は、やもめを「止めよかな」という呟きに変換し、句の持つ愁いが消えた。星一つ。

ギャ句技解説

台詞変換

二音の変換で台詞に。やもめかな→止めよかな（や）もめ（かな）→（や）めよ（かな）

# あちら向いて畑打ち居る二人かな

子規　明治34年

原句解説

畦道に立つ人に背を向け、あちらを向いてせっせと畑を打つ二人。夫婦か、親子か。鍬や鋤の上げ下げのリズムが見えてくる。

★★★

# あっち向いてホイをして居る二人かな

佐東亜阿介

くだらん！　と言いたいが一瞬笑った。動作のリズムが見えるし、二人かな、は生きている。

中七は言葉が離れすぎだし、語尾の「おる」しか合ってない。星一つ。

ギャ句技解説

匂い付変換

あちら向いて畑打ち居る→あつち向いてホイをして居る

季語解説

花《はな》◆植物　晩春

俳句で花と言えば桜の花をさす。雪や月とともに、大きな季語の一つ。日本の国花でもあり、花盛りだけでなく、その散り際の潔さも含め、古より愛されてきた。

# 山の花下より見れば花の山

子規　明治22年

原句解説

山に咲く桜の花々。下から見れば、桜の山と言えそうだ。

# 山本山下より見れば山本山

★☆☆

星埜徽円

これは出ると思った。子規の句もギャ句もこれは星一つどまりだなあ。

**ギャ句技解説**

**名詞ダブル変換**

山の花→花の山の山のアナグラム変換の原句を、どちらも山本山に。ギャ句も、もしかするとアナグラム変換なのかもしれないが、見た目は同じように見える。

山の花→山本山　花の山→山本山

## 花の雨《はなのあめ》　◆天文　晩春

**季語解説**

桜の花に降る雨、あるいは桜の咲く時期に降る雨。

### 遠足の十人ばかり花の雨　子規　明治32年

**原句解説**

十人ほどが遠足に来て雨に降られたらしい。普通なら、「生憎の雨で、お気の毒」と思うが、花の雨ならば濡れて歩いても趣がある。「遠足」も春の季語。

★★☆

纏足の十人ばかり花の雨　にゃん

★★☆

纏足の住人ばかり花の雨　久我恒子

十人の纏足の人が並んで歩いているのは怖いが、団地の住人全員が纏足というのも異様に怖い。「纏足団地」というホラー映画になりそう。のどかで華やかな風景を残酷な風景に、一瞬にして変えた一音変換技、どちらも星二つ！

**ギャ句技解説**

**名詞変換** 一音のみの変換で、同じ「足」の字を持つ熟語に置き換えた。遠（足）→纏（足）
え（んそく）→て（んそく）

**同音異字変換** 十人→住人

## 花見《はなみ》 ◆人事 晩春

季語解説

桜の名所へ足を運び、花の色香や咲きぶりを見ながら、旬の物を食べ酒を呑み、さらに春を味わい楽しむ事。昔は「花衣」に着飾って出かけた。

# 相撲取の大きすぎたる花見哉 子規 明治25年

原句解説

桜の木の下に相撲取りが一人混じって座っている。一人で三人分くらいスペースを取って、堂々としている。周りの人は押しくら饅頭のように押されて小さくなっている。あるいは、相撲取りが大勢で花見をしているとも読める。それなら、確かに大きすぎる。一瞬原句もギャ句かと思った（笑）。

★★★

# 相撲取の大きすぎたるハワイ哉 島崎伊介

ハワイ場所の風景か。昔は外国人力士※と言えばハワイ、ハワイ出身力士と言えば、小錦※だった。当時の小錦は、本当に大きかった。

※外国人力士：ハワイ出身の力士は高見山、小錦、曙、武蔵丸ほか。モンゴル出身は朝青龍と白鵬、日馬富士、鶴竜ほか。現在では、ブルガリアやエストニアなどのヨーロッパ出身の力士も幕内上位で活躍するようになった。
※小錦：小錦八十吉《こにしきやそきち》。アメリカ合衆国ハワイ州オアフ島ホノルル市出身の元大相撲力士（高砂部屋所属）。現在の芸名はKONISHIKI。「コニちゃん」は子供向け教育番組での呼び名。

**ギャ句技解説**

**地名変換**と**カタカナ変換**のダブル技。花見→ハワイ

# 松深き城に太守の花見哉

子規　明治26年

**原句解説**　松の木が生い茂る城でも、一国一城の大名が花見をしていることだろう。

# ★★★ 松深き城にタモリの花見哉

城ヶ崎由岐子

太守は幕府の高官や領主のことで、たいしゅ、と読むんだけど、たぶん城ヶ崎由岐子は、わざと読みを違えて、たもり、と読んで、ギャ句ってるんだよね。まさに『ブラタモリ』[※]の風景。星一つ！

※ブラタモリ：タレントのタモリが古地図を片手に、日本各地の街を散策、現代の街並みに残る歴史の痕跡を発見し紹介するNHKの人気番組。この番組の影響で、各県の観光地で、「街歩き」ブームが起こったと言われる。

**ギャ句技解説**

【見立て同音異字変換】と【人名変換】のダブル技。太守（たいしゅ）→太守（たもり）→タモリ

# 女生徒の手を繋き行く花見哉　子規　明治32年

**原句解説**　女生徒が手を繋いで連れ立って行く花見。これもまた花見の景色の一部だなあ。

★★★

## ジョセフィーヌと手を繋き行く花見哉　鯛飯

ジョセフィーヌと手を繋いで行く花見はいいものだね、って、ジョセフィーヌって誰なんだろう？　フランスから来た女性かな……。確かに良い花見にはなりそうだ！　星二つ！

**ギャ句技解説**　「人名変換」と「カタカナ変換」のダブル技。女生徒→ジョセフィーヌ

春《はる》◆時候　三春

季語解説

立春から立夏の前日までを春という。初春（二月）、仲春（三月）、晩春（四月）の三春からなる。雪は解け、木々が芽吹き、大気は霞み、花が咲き始める。

春や昔十五万石の城下哉　子規　明治28年

原句解説

春だなあ。昔は十五万石の城下であったのだなあ。わが郷里松山は。

★★★

春や昔十五万石の情歌哉　葵そら

演歌歌手のポスターみたいやぞ。

# 春や夢幻十五万石の城下哉

眠睡花

これも相当音が遠いぞ。

**ギャ句技解説**

**同音異字変換** 城下→情歌

**名詞変換** 昔→夢幻

**金子どうだセンセーのギャ句上級講座**

むかし→むげん……遠すぎじゃ。投句する前に、ちょっと、口の中で千回くらい転がしてみよ。【母音揃変換】を忘れずにな。そして場面はもっともっと飛躍させるのじゃ、よいな？　おっほん。

ギャ句添削：春やアタシ十五万回のジョーカーかな　金子どうだ（ババ抜き連敗）

# 日に烏それがどうして春の朝　子規　明治29年

**原句解説**
朝日に輝く黒いカラスの羽根。それがどうして春らしいのかうまく言えないものの、やはり何となく春らしさを感じる。

★★★
## 日に烏それがどうした春の朝　麦乃

子規さんのも、「それがどうして」って言われてもなあ……だけど、またまた、「それがどうした」って喧嘩売られてもなあ、麦乃。どっちもどっち。星一つ。

**ギャ句技解説**
**台詞変換**　変換は一音のみ。（それがどうし）て↓（それがどうし）た

## 名も知らぬ春の小鳥や腹青き　子規　明治33年

**原句解説**　春の鳥の中の一羽、名も知らぬ小鳥だが、美しい青い腹をしている。

### ★★★ 名も知らぬ春の誘いや腹黒き　老梅

腹が青いと黒いでは意味は大違い。だが、ことり→さそい、の音が遠すぎ。何度も言わせるんぢゃないって！　音はできるだけ近く、変換はできるだけ少なく、意味はできるだけ遠く、ぢゃ。おほん、ぢゃ！（どうだセンセーの真似）。

ギャ句技解説

名詞変換　小鳥→誘い

色変換　青き→黒き

春風《はるかぜ》　◆天文　三春

季語解説

春風駘蕩《しゅんぷうたいとう》という言葉があるように、春に吹く風はのんびりと暖かく穏やか。

# 竹切りにどこまで行かん春の風

子規　明治26年

原句解説

竹を切りに山奥へ行く。春風が暖かく心地よいので、よい竹が見つかるまでどこまでも登って行けそうだ。

# 酒借りにどこまで行かん春の風

★★★

野地垂木

切った青竹にお酒を入れて飲んだら美味しいだろうね、とつい連想してしまった。野地垂木も同じ発想か？　星一つあげてしまおう。

**ギャ句技解説**

シチュエーション変換　竹切りに→酒借りに

# 堂の名はみな忘れけり春の風

子規　明治28年

**原句解説**

そこらにある堂の名前は、聞いた端から忘れてしまう。あまりにのどかな春風に吹かれて。

# 党の名はみな忘れけり春の風

★★★

南山手

確かにブームかなんか知らんが、新党※結成があまり多いと覚えられん。有名な「万能川柳※」みたいに風刺が効いている。変換が濁点だけとはおみごと！　星二つ。

※新党：新たに結成した政党のこと。既存の政党から分裂して結成される場合もあれば、既存の政党と全く異なった政治を行おうと結成される場合もある。

※万能川柳《ばんのうせんりゅう》：毎日新聞の柳壇「仲畑流万能川柳」。コピーライター仲畑貴志の選で、全国から投稿された川柳が発表される。新党ブームの一九九七年の年間賞は「今ワシは何党かねと秘書に聞き」に贈られた。

**ギャ句技解説**

**名詞変換**　一音の変換、しかも濁点外しのみ。堂→党　ど（う）→と（う）

## 春の雨　はるのあめ　◆天文　三春

**季語解説**

趣の深い静かな雨として詠まれてきた。草木を育むやさしさや、古典的な情趣を含む。春の長雨は「春霖《しゅんりん》」、激しい雨は「春嵐《はるあらし》」と、雨の種類により別の季語がある。

# これほどにふつて音なし春の雨　子規　明治24年

**原句解説**

これほど降っているにもかかわらず音もないとは、いかにも春の雨であるよ。

★★★

# これほどにぶつて音なし綿の飴　いさな歌鈴

わはははは。まず場面がぱっと浮かんで笑った。それほどにぶったら、綿菓子がべちゃべちゃになるだろう。相当ぶってるよこれは。でも確かに音はしない（笑）。この、にちゃにちゃ感、嫌いじゃないから、星二つ！

**ギャ句技解説**

**動詞変換** 一音の変換、しかも濁点をつけるのみ。ふ（つて）→ぶ（つて）

**名詞ダブル変換** 春（の）雨→綿（の）飴　雨→飴は、**同音異字変換**でもある。

金子どうだセンセーのギャ句上級講座

まあ、そこそこできているんじゃが、厳しいことを言えばじゃ、はる→わた、の変換は、音的にはちっと遠い。ワシ的には、春の雨→ハグの雨、くらいにしといて欲しかったのう、う、うほん。

# 春雨やお堂の中は鳩だらけ

子規

明治26年

**原句解説**

春雨に降られ、お堂で雨宿りしようと入ったら先客の鳩だらけ。人も動物も考えることは同じだな。

★★★

# 春雨やお堂の中は箱だらけ

桜井教人

お堂の中は箱だらけ、と声に出して読むと、くすっと笑える。何の箱だろう？　仏具の箱か、それとも、段ボールか？　箱が出しっ放しの風景って春雨だから成立するし、詩の気分もある。

**ギャ句技解説**

**名詞変換**　変換は一音のみ。鳩→箱（は）と→（は）こ

## 春の草《はるのくさ》　◆植物　三春

**季語解説**

色淡く柔らかな春の草は、目にみずみずしく映える。萌え出た若草が生き生きと伸びやかに育った草。

# 下駄ぬいでふんでも見たり春の草　子規　明治23年

**原句解説**

春の草はいかにも柔らかに見え、思わず下駄を脱いで草を踏んでみた。同時に、はだしの足の裏に萌え出た草の生命力も感じている。皮膚感覚の気持ちよい句。

★★☆

# 下駄ぬいで糞で揉みたり春の草　星埜黴円

ギャ句は、全然気持ちよくない。糞を踏んでしまったから、下駄を脱いで草で揉んで綺麗にしたよってことかね。ひらがなで書いたら全く同じ音を、漢字を変えて違う場面にしていて、難易度高い技だけど、汚いよ、黴円。星二つ！

ギャ句技解説

ぎなた変換

語の切れ目を変える。ふんでも見たり→糞で揉みたり　ふんでも／みたり→ふんで／もみたり

春の霜《はるのしも》　◆天文　三春

季語解説

春に降りる霜のこと。立春を過ぎても厳しい寒さの続く北国では、霜が降りることも珍しくはない。

# これもまた花の一ツや春の霜

子規　明治22年

原句解説

草花の咲く春の庭に降りた真っ白い霜、これも花の一つのようだ。

★★★

# これもまた罠の一ツや春の指紋

岩のじ

名探偵ポワロの呟き。指紋が一つあったから、私の小さな灰色の脳細胞が惑わされた。しかも罠は一つじゃなかった。花→罠の変換、そして春の指紋という言葉は詩だ。星二つ！

**ギャ句技解説**

名詞ダブル変換　花→罠　霜→指紋

**季語解説**

**春の水**　はるのみず　◆地理　三春

勢いよく音を立て川を走る豊かな雪解水が温《ぬる》んでくると、暖かな水面に春の光を映し、きらきらと輝きながら流れる春らしい表情の水となる。

## 業平の狩衣しぼる春の水　子規　明治25年

**原句解説**

在原業平《ありわらのなりひら》と言えば、平安時代の貴族であり、歌人。恋の歌や、彼が主人公とみなされてきた『伊勢物語』のエピソードなど、袖をぬらしたであろう様々なシチュエーションが思い浮かぶ。春の水の持つ柔らかさに響き合う。

## 業平の狩衣しょぼる春の水　星埜黴円

風雅な原句に対し、なんとギャ句は業平さんの狩衣《かりぎぬ》がしょぼい、と言ってる。狩衣は、貴族が「鷹狩り」の時に着た装束が日常着となったもの。黴円としては、プレイボーイである業平をからかったところか……。調べてみると、しょぼるって言い方はないけれど、「濡れしょぼる[※]」という言葉はあるようだ。

※濡れしょぼる：濡れそぼつこと。

ギャ句技解説

動詞変換

拗音「ょ」を足して別の動詞へ変換。（しぼる）→（し）ょ（ぼる）

# 鯉の背に春水そゝぐ盥かな

子規　明治34年

原句解説

盥に移した鯉の背にあたたかそうな春の水を注いでいる。池の掃除をしているのだろうか、清々しい光景だ。

★★★

# 恋の背に春水そゝぐダライ・ラマ

板柿せっか

ダライ・ラマのインパクトが好き。あえて上五を、鯉→恋、に変えなくてもよかったんじゃない？　鯉に命を注ぐように、春水を注ぎかけるダライ・ラマっていう神々しい場面になったのにね。惜しい。それでも星三つあげたい。

**ギャ句技解説**

**同音異字変換** 鯉→恋

**母音揃三音変換** と **人名変換** と **カタカナ変換** のトリプル技。盥かな→ダライ・ラマ

た（らい）かな→ダ（ライ）ラマ

**季語解説**

春の夕《はるのゆう》 ◆時候 三春

春の夕暮れ。春の一日の終わりゆく「春の夕」に対して、「春の宵」の季語は、春の夜の始まりという趣きがある。

# 何として春の夕をまぎらさん　子規　明治28年

**原句解説**

この春の夕べを、どうやって紛らわそうか。日永の春の夕暮れを、悶々と何かに耐える人の独りごと。子規としては、「この身の痛苦と退屈を、寝るまでどうやって紛らわそう?」と言いたかったのかもしれない。

# 何とかして春の夕をなぎらさん

★★★

有本仁政

ギャ句も、基本の句意は変わらない。「退屈な春の夕べを何とかしてよ、なぎらさん※」とテレビに話しかけるごとく独りごとを呟く春の夕景。なぎら健壱氏の顔を思い浮かべると、ほのぼのした可笑しさが伝わる。人名がうまく使え出したら、ギャ句ラーも中級以上。星二つ。

※なぎらさん：なぎら健壱《けんいち》。日本のフォークシンガー、俳優、タレント、漫談家、エッセイスト。

**ギャ句技解説**

**台詞変換** 何として→何とかして

**人名変換** 音の似通った人名に変換する技。まぎらさん→なぎらさん

春の雪《はるのゆき》 ◆天文　三春

季語解説

立春を過ぎて、降る雪のこと。冬の雪と違って解けやすく、積もってもすぐに消えてしまう。

君を待つ蛤鍋や春の雪　子規　明治34年

原句解説　春が旬の身の肥えた大粒の蛤を鍋にして君を待っていると、大粒の春の雪が降って来た。

★★★

牛を待つすき焼き鍋や春の雪　水本和子

蛤鍋を用意して春の雪の中を来る人を待っている心温まる原句の風景に対して、ギャ句の鍋はすき焼き。しかも、牛肉を持ってくる人を待っているというのが楽しい。変換はやや多めだがよしとしよう。星一つ。

**ギャ句技解説**

**名詞ダブル変換**

君→牛　蛤（鍋）→すき焼き（鍋）

**季語解説**

暖かくて明るい春の太陽を言うこともあれば、のどかな春の一日を言う場合もある。

**春日**　はるび・はるひ　◆**時候**　**三春**

※松山市立子規記念博物館データベースの分類では、「時候・天文」となっている。

# 水底に魚の影さす春日哉

**子規**　**明治29年**

**原句解説**

水底にさっとさした魚の影。春の陽光をうけて、きらきらと明るい水の中、魚が動きはじめる春となったなあ。

# 水底に人の影さす火サス哉

★★★

バロンyou

池の淵にしゃがんでいると、背後から怪しい人影、はっと振り向いた途端に殺人鬼を見てしまう。いや、水底に死体を見つけたか。「火サス」こと火曜サスペンス劇場※の一シーンか。影さす、火サス、という韻の踏みかたがいいね。星一つ。

※火曜サスペンス劇場：かつて日本テレビで、毎週火曜日に放送された二時間ドラマ。略して「火サス」。人気シリーズも多い。

**ギャ句技解説**

**名詞変換** 魚↓人

**シチュエーション変換** 春日↓火サス

## 春の日や病床にして絵の稽古　子規　明治34年

**原句解説**

この句の「春の日」は、季語の持つ両方の意味を含んでいる。春の明るい日ざしが庭を照らしているのが美しく、絵の稽古をしようと思った。病床にもその日ざしが届いている。まるで原っぱに寝転がってスケッチをしている気分になれる春の一日。

## ★☆☆ 春の日や幼少にして句の稽古　佐東亜阿介

幼少から俳句の稽古をする子供の姿と、その横で励ます親の姿も見える。でもね、ちょっと皮肉っぽい響きもあるような?

**ギャ句技解説**

**名詞ダブル変換**　病床→幼少　絵→句

金子どうだセンセーのギャ句上級講座

その通り！　ギャ句は天真爛漫に詠むべし！　俳句ネタで受けを狙おうなんて不純じゃ。そのため、絵（え）→句（く）、と母音が離れてしまっておるじゃろ？　ほれ、添削じゃ。これなら原句からたった一音変換、しかも母音は整い、のどかな風景。ぶぉっほーん。

ギャ句添削：春の日や病床にして屁の稽古　金子どうだ

季語解説

春分の日（陽暦三月二十一日頃）の前後一週間ほどを彼岸と言う。この時期に寺院に参詣し、祖先の墓参りをする。秋の彼岸は「秋彼岸」と呼ぶ。

**彼岸**《ひがん》　◆**時候　仲春**

※松山市立子規記念博物館データベースの分類では、「人事」となっている。

# 毎年よ彼岸の入に寒いのは

子規　明治26年

**原句解説**

毎年のことだ、彼岸の入りの頃に寒いのは。母の言葉がそのまま俳句になったものとしてよく知られる。俳句に詳しくなくても、この句を知っている人は多い。

★★★

## 毎年よ彼岸の入に寒いのよ

すみ

「寒いのよ」と愚痴を言ってるのは、すみ。たった一音の変換だが登場人物ががらりと変わった。

★☆☆

**毎年よ彼岸の入にさぶいぼは**

にゃん

寒い彼岸は、※さぶいぼも出るわな、にゃん。

※さぶいぼ：鳥肌

★☆☆

**バイトしよ非番の入りが寒いので**

西川由野

西川由野のギャ句は、非番ばかりでお金の入りが寒いのでバイトしよ、ってか。生活感にじみ出てるね。

## ギャ句技解説

**台詞変換**　変換は一音のみ。（寒いの）は→（寒いの）よ

**方言変換**　関西バージョン。寒いのは→さぶいぼは

**シチュエーション変換**　五七五全てを変換。毎年よ→バイトしよ　彼岸の入りに→非番の入りが　寒いのは→寒いので

## 金子どうだセンセーのギャ句上級講座

有名句はイメージができあがっているので苦労するもんじゃ焼き。まあ、よろしい、よろしい、彼岸の入りに寒いのは。うほん。

## 雛《ひな》

◆人事　仲春

**季語解説**

三月三日に、女児の健やかにして美しい成長を願って飾る人形。

## 雛もなし男許りの桃の宿　子規　明治28年

**原句解説**

桃の咲く宿で過ごす三月三日。男ばかりで雛飾りもないが、これもまた三月三日であるなあ。

★★★

## 品もなし男許りの桃の宿

折口也

品のなくなった男ばかりの桃の宿って……。桃の花の美しさも可愛らしさも台無し……。

**ギャ句技解説**

**名詞変換**　変換は一音のみ。雛→品（ひ）な→（ひ）ん

## 日永《ひなが》 ◆時候　三春

**季語解説**

春になって日が永くなること。冬至を過ぎて日が永くなることを表す冬の季語「日脚伸ぶ」とは区別する。いかにも日が永くなったと感じられるのは春。

### 霞んだり曇つたり日の長さ哉　子規　明治26年

**原句解説**

霞んだり曇ったりの一日は、益々日の長さを感じる。水蒸気が立ち込めて物の姿がぼんやりと見えたり、空が雲に覆われぼんやりと暗くなったり、それを繰り返しながら、日永の一日はゆっくり暮れてゆく。

★★★

### 休んだり籠つたり日の長さ哉　小市

定年退職後に地域の活動とか、シルバー人材センターとかに行ってる人。休んだり籠ったりしながら、のんびりと第二の人生を送っている。あるいは、ひきこもり。ひきこもっていることを今は「自宅警備員」[※]って言うの？　ふうん。昔は「居候」ってのもあったね。居候は職業ではないけど、自宅の雑用や留守番をして結構役に立った。似たようなものかな。星一つ。

※自宅警備員：ひきこもりやニートなど、常に自宅にいることや、いる人を表すインターネットスラング。俗語。

## 霞んだり曇ったり目の老化哉

★☆☆

表子

霞んだり曇ったりは目の老化のことか！　他人事ではないなあ。星一つ。

**ギャ句技解説**

**匂い付変換**　「○○だり○○たり」の上五・中七を同時に変換。霞んだり曇つたり→休んだり籠つたり

**オチ変換**　日の長さ→目の老化

# ぶらぶらとして居れば日の永さ哉　子規　明治28年

**原句解説**　あくせく働かず、何もせず、ぶらぶらしていればなお日の永さを感じることだ。

## ラブラブとして居れば日の永さ哉　南山手

ぶらぶらしようが、ラブラブしようが、日が永くなったねえ、と感じる気持ちは一緒だね。古臭い流行語[※]の「ラブラブ」を使って、結果的に日永感が出たんじゃないか？　シンプル技かつ原句の雰囲気も残していてよろしい。

※古臭い流行語：大正の「銀ブラ」、昭和の「るんるん」、平成の「あげあげ」など、時代とともに流行しては死語となってゆく言葉は多い。

ギャ句技解説

アナグラム変換と カタカナ変換のダブル技。ぶらぶら→らぶらぶ→ラブラブ

# 風船のふわりふわりと日永哉

子規　明治29年

原句解説

風船がゆっくりと、ふわりふわりと飛んで行く。日が永くなったなあ。「風船」も春の季語。

★★★

# 飛行船のふわりふわりと日立哉

有本仁政

風船が大きくなったら飛行船。そう言えば日立※の飛行船飛んでいたな。

※日立の飛行船：一九六九年、日本の電機メーカー日立製作所が自社のカラーテレビ「キドカラー」の宣伝のために飛ばした日本初の民間飛行船「キドカラー号」のこと。

★★★

# フーテンのふわりふわりと日永哉

樫の木

こっちは、フーテンの寅さん？　何となく春らしいね。

**ギャ句技解説**

**名詞ダブル変換**　風船→飛行船　日永→日立

**名詞変換**と**カタカナ変換**のダブル技。変換は一音のみ。風船→フーテン（ふう）せ（ん）→（フー）テ（ン）

藤《ふじ》◆植物　晩春

季語解説

房状の薄紫の花を咲かせ、長さは数十センチから一メートル以上になる。芳香があり、風に揺れる姿は優雅。

藤の花長うして雨ふらんとす　子規　明治33年

原句解説

藤の花の房が長く垂れさがっている、雨が降りそうな空模様だ。

★★★

藤の花長うして雨腐乱さす　レミオン

雨が長く垂れすぎた藤の花を腐乱させているのか？

# 藤の花長うして雨ふらんす堂

★

直

「ふらんす堂」※のCMかロゴマークみたい。ちなみに、「ふらんす堂」のウェブサイトのマスコットは藤でなくて猫。

※ふらんす堂：日本の出版社。俳句・短歌・詩・エッセイなどを中心に刊行。

**ギャ句技解説**

**動詞変換** 変換は一音のみ。ふらんとす→腐乱さす（ふらん）と（す）→（ふらん）さ（す）

**匂い付変換** ふらんとす→ふらんす堂

**鮒膾**《ふななます》 ◆人事　三春

**季語解説**

鮒をおろして薄く切りそろえ、辛子酢や酢味噌などで和えて作る膾。

## 贈られし鮒を膾につくりけり　子規　明治32年

原句解説　人から贈られた鮒を、膾につくって食べるのだ。珍しい物を食べる喜びの句。

★★★

### 贈られし鮒を鱠にくくりけり　桜井教人

どっちも淡水魚なのは不幸中の幸いなのか？　それにしても、くくりつけてどーするんだ？　鱠にくくりつけられて海に帰されたら鮒は困るだろうし、バカバカしくて楽しい。言葉遊びとはこれだよ。星二つ。

**ギャ句技解説**

**名詞変換** 変換は濁点のみ。膾→鯰　（なま）す→（なま）ず

**動詞変換** 変換は一音のみ。つ（くりけり）→く（くりけり）

**季語解説**

## 桃の花《もものはな》

◆植物　晩春

桜の花と競うように、ふわりと咲き出す。桃の花には愛らしさ、親しみやすさがあるようだ。花の色も春らしさを感じさせる。

# 故郷はいとこの多し桃の花

子規　明治28年

**原句解説**

故郷に帰るといとこが多く、桃の花もたくさん咲いている。「桃の花」から、女の子が多いのだろうと想像させる。にぎやかで楽しい里帰り。

## 故郷はイタコの多し桃の花

小林流美子／星埜黴円
（同ギャ句二名）

故郷には有名なイタコ※がおり、あの世の誰かの言葉を語るイタコの側に、桃の花が群れ咲いている、というホラーなギャ句。イタコの多い故郷なら　岩手の恐山※か？

※イタコ：日本の東北地方北部で、自分の身に霊を降ろし、霊の代わりに霊の言葉を語るという口寄せを行う巫女。盲目の女性であることが多い。恐山のイタコが有名。
※恐山：本州の最北端岩手県下北半島の中央部にある活火山。死者への供養の場として知られる。

## 故郷はいいとこの多し桃の花

国東町子

一方、こちらのギャ句は、いとこ→いいとこ、と「い」を足した。国東町子の故郷は、どんな「いいとこ」が多いのかね。ほのぼのした原句の雰囲気は受け継いでいる。星一つ。

## ギャ句技解説

**名詞変換**と**カタカナ変換**のダブル技。一音のみの変換だが意外性がある。いとこ→イタコ

**匂い付変換**　いとこ→いいとこ

### 金子どうだセンセーのギャ句上級講座

♪潮来《いたこ》※の伊太郎　ちょっと見なれば　薄情そうな渡り鳥♪　いやいや、拍手はせんでよろし。イタコはイタコでも、こんなイタコもあるんじゃよ。もっとギャ句の可能性をまめに探るのじゃ、おほーん。

ギャ句添削：故郷は潮来の王子桃の花　金子どうだ

まあ、そんなもんじゃ焼き、うほん。

※潮来の伊太郎：橋幸夫のデビュー曲「潮来笠」が大ヒットして以来、日本の歌謡史に「股旅歌謡」というジャンルが生まれ、短く刈ったヘアスタイルは「潮来刈り」と呼ばれた。

山焼《やまやき》 ◆人事　初春

季語解説
早春に野山を焼くこと。家畜の飼料として草の発育を促し、害虫駆除にもなる。

# 山焼くや胡蝶の羽のくすぶるか　子規　明治21年

原句解説
山焼きをしているなあ。山焼きの炎で蝶の翅が焦げてくすぶっているのではないか。

★☆☆

## 山焼くやこちょこちょ鼻をくすぐるか　山内彩月

ううむ、だいぶ遠いけど、この可愛いさに星一つだけあげたい。

ギャ句技解説
匂い付変換
胡蝶の羽のくすぶるか→こちょこちょ鼻をくすぐるか

**金子どうだセンセーのギャ句゛上級講座**

惜しいんじゃよ。ここまで来とるのになぜ、後一歩を粘って考えんのじゃ？　復習！　ギャ句の神髄は、「最小の音と字の変換で、最大の句意変換」じゃ！
ギャ句添削：山焼くやこちょこちょ羽でくすぐるか　金子どうだ
うん。まあ。そんなもんじゃ焼き。うほん。

## 山笑う　やまわらう　◆地理　三春

**季語解説**

春の山は笑う、夏の山は滴《したた》る、秋の山は粧《よそお》う、冬の山は眠る、と言われる。

# 故郷やどちらを見ても山笑ふ　子規

**明治26年**

**原句解説**

故郷の山は、どちらを見ても笑っている。南国の愛媛松山の春風駘蕩とした山容に対する最大の賛辞であり、懐かしい故郷の山に囲まれる幸福感に溢れる句。

★☆☆
故郷やどちらを見ても山羊笑ふ
熊縫まゆベア

笑う山羊に取り囲まれるのは嫌だよ。

★☆☆
故郷やどちらを見ても人笑ふ
浅井悦嗣

故郷での句会ライブに来てくれたお客さんなら、嬉しい光景！

ギャ句技解説
名詞変換　山→山羊　山→人

金子どうだセンセーのギャ句上級講座

基本形ギャ句のおさらいで、よくある下五音を変換するパターンじゃ。コンピューターのように黙々と変換単語を探す方法をやってみるのじゃ！　簡単じゃよ。

①山→○○（母音「アア」で、「やま」の発音に近い物に変換する）

②笑う→○○○（母音「アアウ」で、「わらう」の発音に近い物に変換する）

　さあ、やってみるのじゃ。

①　海女・タマ（猫）・皿・ママ・墓

②　洗う・流行る・語る・廻る・訛る

見つけた単語から、面白そうなのを組み合わせるんじゃ。おおっほん。

ギャ句添削：

故郷やどちらを見てもタマ廻る　金子どうだ

故郷やどちらを見ても皿洗う　金子どうだ

故郷やどちらを見ても海女流行る　金子どうだ

故郷やどちらを見てもママ訛る　金子どうだ
故郷やどちらを見ても墓語る　金子どうだ

余寒《よかん》　◆時候　初春

季語解説

寒が明けてからの寒さ。春の兆しはあるものの、まだまだ寒さは続く。

残り少なに余寒もものゝなつかしき　子規　明治28年

原句解説

寒が明けてから春らしさも日に日に増してきた。残り少ない寒さが懐かしいような心地さえする。

# 残り少なに預金もものゝなつかしき

★☆☆

横川湯八

預金が残り少なになってきた。たっぷりあった頃が懐かしいと、残高の減り始めた通帳を見て、あきらめ始めた微妙な心持ちが何となく原句に通じる。星一つ。

**ギャ句技解説**

**名詞変換** 変換は一音のみ。余寒→預金（よ）か（ん）→（よ）き（ん）

**季語解説**

**立春**《りっしゅん》 ◆時候 初春

「春立つ」とも。節分の翌日で、二月四日頃。厳しい寒さは残るが、ぼちぼち梅の花もほころび出す。

※松山市立子規記念博物館のデータベースでは、掲句は、季節・季語ともに「新年」に分類されているが、著者の判断により立春とした。

# 百巻の古書の山こえ春は來ぬ　子規　明治27年

**原句解説**

百巻ほどもある古書の山を越えて春がやって来る。虫干しは梅雨の終わり頃にやるものだが、ぽかぽかした春の日ざしに古書店の本の山が温まっている風景か、それとも、大きな寺などの書庫を開いて風を入れているのか。

## ★★★ 百均の古書の山こえ春は來ぬ　麦乃

ギャ句は、古本屋の店先の台に積まれた百円均一の本の山。ひらひら飛び越えて行く蝶々みたいに、春も、春風もやって来る。

**ギャ句技解説**

**名詞変換**　変換は一音のみ。百巻→百均　（ひゃっ）か（ん）→（ひゃっ）き（ん）

# 蕪村集に春立つといふ句なかりけり　子規　明治33年

**原句解説**　蕪村の俳句集には、「春立つ」という季語で詠まれた俳句はないのだなあ。蕪村を研究した子規が言うのだから間違いないだろう。

★★★

## 蕪村集に腹立つといふ句なかりけり　小笹いのり

「腹立つ」って句は絶対にないと思う。子規に聞くまでもない。星二つ。

**ギャ句技解説**

**名詞変換**　変換は一音のみ。春↓腹　（は）る↓（は）ら

## れんげ

◆植物　仲春

季語解説

田や畝に紅紫色の紫雲英《げんげ》の花が咲き広がる。春の田園風景。柔らかい苗は食用になる。

**野道行けばげんげんの束のすてゝある**　子規　明治30年

原句解説

野道を歩いて行けば、げんげんの束が捨ててあるのに出会う。子供が摘んで、手に握っていたれんげの花束を飽きて捨てたか、親の背におぶわれているうちに道に落としたか。

★☆☆

**野道行けば現金の束のすてゝある**

有本仁政／板柿せっか
（同ギャ句二名）

野道行けば千円の束のすてゝある

こじ

野道行け馬券現生すてゝある

板柿せっか

○○の束と言えば？　という発想は皆同じ。道に捨ててあるものが、花束からお金に変わった。板柿せっかの三句目は、馬券と現ナマが捨ててある。星一つずつ。

**ギャ句技解説**

**名詞変換**　げんげん↓現金　げんげん↓千円

**ぎなた変換**　野道行けば／げんげんの束↓野道行け／馬券現生

# 夏
summer

汗《あせ》◆人事　三夏

季語解説

暑さに盛んに出てくる汗。夏はじっとしていても汗ばむ。水浴びや風呂で汗を流すと心地よい。

十年の汗を道後の温泉に洗へ　子規　明治29年

原句解説

十年分の労苦の汗を、道後の温泉《ゆ》で洗い流したまえ。

★★★

十年の垢を道後の湯に洗へ　華

十年の垢は洗い場で落としてから温泉つかれよ、華。

★★★

# 中年の汗を道後の温泉に洗へ

星埜黴円

中年の汗って脂ぎってそう。

★

# 厄年の汗を道後の温泉に洗へ

冬のおこじょ

厄年の汗は特によく洗うべし。やくどし、はやっぱり音が遠すぎるな。

**ギャ句技解説**

**名詞変換**

汗↓垢　十年↓中年　十年↓厄年

金子どうだセンセーのギャ句上級講座

母音を揃えるということについては、言い尽くした感がある。ここはひとつ無心に、温泉に集まる様々な人間を詠んでみたらいかがじゃの、うほん。

ギャ句添削：

十年の酒を道後の温泉に洗へ　金子どうだ（アルコール依存症）
中年の痩せを道後の温泉に洗へ　金子どうだ（虚弱体質）
留年のツケを道後の温泉に洗へ　金子どうだ（学生）
にゅうめんの鍋を道後の温泉に洗へ　金子どうだ（近所の人）

## 暑《あつし》◆時候　三夏

季語解説

初夏（五月）、仲夏（六月）、晩夏（七月）それぞれに「暑さ」があるが、梅雨が明けてからはことに暑さを覚える。日中の最高気温が三十度を超すと「真夏日」、最低気温が二十五度より下がらない夜は「熱帯夜」と呼ばれる。

### ぐるりからいとしがらるゝ熱さ哉　子規　明治26年

原句解説

「この暑さですから、どうかお大事に」とぐるり（周りの人）から愛しがられ（心配され）る暑さ。「暑い」は気温の高い時に、「熱い」は「お茶が熱い」時などに使う。「熱い視線を浴びる」など高まる感情表現にも使う。

★

### グリル辛いと叱らるゝ熱さ哉　板柿せっか

これは一見して、大変換のギャ句で、合わせ技を色々と使ってるっぽい。が、そもそもグリル辛い、って何？　なぜ叱られてる？　さっぱりわからんが、とりあえず星一つ。

**ギャ句技解説**

【ぎなた変換】と【アナグラム変換】のダブル技。ぐるりから／いとしがらる>↓グリル辛い
と／叱らる>　ぐるり↓ぐりる

### 金子どうだセンセーのギャ句上級講座

何でわからないのかがわからない。このグリル料理のことじゃよ。当然、※グリル料理のことじゃよ。鉄板でジュージュー焼き目を付け、肉汁が滴るようなステーキやハンバーグ……いかん、こっちのお腹がグーグー鳴ってしもた。うほん。ともかくそのグリル料理が、辛すぎて客に文句を言われて叱られているシェフ、という場面じゃろ。前に紹介した句切れを変える【ぎなた変換】を見事に使っておるし、【アナグラム変換】の合わせ技を駆使しているが、努力の割には報われていないのお。まあ、しかしじゃ、努力にワシが★を追加して★★にしよう。うほん。

※グリル料理：グリル（調理用焼網）やグリルパン（溝付きフライパン）を使い、縞模様や編み目模様の焼き目を付けた料理。

**茨の花**《いばらのはな》　◆植物　初夏

**季語解説**

野ばらの花。初夏、白い五弁の香りのよい小花がたくさん咲く。蔓性の木の枝には鋭い棘がある。花いばら。茨咲く。

## 茨さくや根岸の里の貸本屋　子規　明治26年

**原句解説**

白い茨の花咲く閑寂な根岸の里に、小さな貸本屋がある。子規の家があった根岸は文人墨客、芸人の町と言われた。

★★★

## 茨さくや根岸の里の菓子パン屋　谷口詠美

菓子パンをしょっちゅう食べていた子規に捧げるギャ句。根岸の里に当時菓子パン屋はあったのか。餡※パンはどこで買っていたのか。当時にタイムスリップして根岸の里を歩いてみたいね。一音の変換での商売替え。星二つ。

※餡パンはどこで買っていたのか：子規が餡パンをどこで買っていたのか？　うちのスタッフの想像では、餡パン好きの子規のことだから、明治天皇に餡パンを献上して評判になったという木村屋の餡パンを、妹の律さんやお母さんに買いに行ってもらったのではないかと……。

**ギャ句技解説**

**名詞変換**　変換は一音のみ。貸本屋→菓子パン屋　（かし）ほ（んや）→（かし）ぱ（んや）

## 打ち水《うちみず》◆人事　三夏

**季語解説**

家の周りの道や庭や路地にこもる暑を鎮めるために水をまくこと。埃が立つのも防ぐ。

# 裏町や水打さして馬車を見る　子規

明治30年

## 原句解説

裏町の狭い通りを馬車が通り過ぎる間、埃の立つ暑い道に水を打っていた人が、手を止めて馬車を見送っている姿。通り過ぎた後の静けさ。

# ★★★ 裏町や水打ちさしてバシャを撮る

吉野川

ギャ句の方はというと、何これ？　バシャを撮るって？　打ち水がバシャっと跳ねた音を撮るってこと？？？

金子どうだセンセーのギャ句上級講座

これは水音と、シャッターを切る音をかけてあるんじゃないかの。水がバシャっと跳ねた瞬間を、カメラでバシャっと撮ったんじゃ。擬音を使った【擬音変換】のギャ句はあまりなかったから、これはこれで、やや技ありじゃ、うほん。

季語解説

卯月《うづき》◆時候　初夏

陰暦四月の異名、初夏の頃にあたる。卯の花の咲く月。南北に長い日本列島の、北国ではまだ桜が咲いている月なので、花残《はなのこり》月《づき》の傍題も持つ。

# どんよりと青葉にひかる卯月哉

子規　明治25年

原句解説

どんよりと青葉に鈍い輝きのある、卯月である。卯月は、「卯の花腐《くた》し」という卯の花を腐らせるほどの長雨の時期でもあり、「どんより」の気分にも響き合う。

★★★

# ドンペリと青葉にひかる卯月哉

デビルマン

♪卯の花の匂う垣根に〜♪って童謡に歌われる、あの白いウツギの花の咲く爽やかな初夏。ドンペリの方が爽やかに輝いて卯月に合う気もする。さすが元酒屋のギャ句ラー！　ドンペリ[※]の原価は安いのかデビルマン？　元酒屋ならではのギャ句に、星二つ！

※ドンペリ：フランスのMoët《モエ》 et《エ》 Chandon《シャンドン》社によって生産されるシャンパンの銘柄Dom《ドン》 Pérignon《ペリニヨン》のこと。俗にドンペリと略して呼ばれる。

**ギャ句技解説**

**匂い付変換**　どんより→ドンペリ

## 楝の花《おうちのはな》　◆植物　仲夏

**季語解説**　山野に咲き、人家にも栽培される木の花。淡紫の小さな花を房状につける。「楝」は「樗」とも表記。

# 夜芝居の小屋をかけたる樗哉

子規　明治26年

**原句解説**　夜芝居の小屋が掛けられている。靄がかかったような紫の楝の花が闇に浮かんでいる。

# 夜芝居の小屋をかけたるouch!哉

佐藤儒艮

旧仮名遣い「あふち」の発音は「おうち」。英語の「ouch!」は「痛いっ」という叫び。ローマ字読みすると途中まで「オウ」だけど、実際の発音は「アウチ！」で、何だか面白い。

**ギャ句技解説**

**台詞変換**と**アルファベット変換**のダブル技。変換は一音のみ。楝→ouch!　お（うち）→あ（うち）

**沖膾**《おきなます》　◆人事　三夏

**季語解説**

沖膾は、沖でとった魚をその場ですぐに料理して食べること。この句では、果物、野菜、魚などを細切りまた薄切りにして、酢で和えた料理である「膾」のことか。

# 温泉上りに三津の肴のなます哉　子規　明治23年

**原句解説**

温泉《ゆ》上がりに頂くのは、三津浜《みつはま》の生きのいいなますである。松山市西部にある三津浜は、明治時代には海の玄関口として汽船業が栄え、軽便鉄道が敷かれ、電力会社や銀行が建ち並ぶ繁華街であった。

★★★

## 温泉上りにいつの肴のなます哉　平本魚水

「いつの肴のなます？」と聞いているから、肴は腐ってるのか……。腐ると書かないで腐らせるとは言葉の技！

**ギャ句技解説**

**シチュエーション変換**　変換は一音のみ。三津の→いつの　み（つの）→い（つの）

## 桐の花 きりのはな ◆植物　初夏

季語解説

初夏に紫色の花を下向きに咲かせる桐の花。花の落ちた後に現れる大きな葉は和歌などにも多く詠まれてきた。「桐一葉」は秋の季語。

# 桐の花めでたき事のある小家　子規　明治32年

原句解説

桐の木が青い花を咲かせる小家《しょうか》に、今日は祝い事があるようだ。娘の嫁入りだろうか、初孫が生まれたのだろうか。

# ★★★ 桐の花めでたき事のあるでしょうか　板柿せっか

桐の花は咲いていても、「(何の) めでたき事があるでしょうか? (そんなものありませんよね?·)」と、皮肉に聞いていている。ギャ句にも色々やり方があり、単語の変換で登場人物や場面を変えてゆく技は基本だが、たった一音「で」を入れ足し、季語以外の全部を根底からシニカルに変えていくひねり技はあっぱれ！　星三つ！

**ギャ句技解説**

**台詞変換**　ある小家→あるでしょうか

## 草茂る《くさしげる》　◆植物　三夏

**季語解説**

夏草が生い茂る様子。力強い自然の生命力を感じる季語。「茂り」は樹木の茂った様子を言う別の季語。

# 草茂みベースボールの道白し　子規　明治29年

**原句解説**

青々と元気よく生い茂る草。「道白し」とは、球場に向かう道を白く感じているのだろうか？　それとも、白く引かれた野球のラインであろうか？

## 草茂みベースボールのイチロー氏

城ヶ崎由岐子

城ヶ崎由岐子のギャ句、下五「ち」と「し」しか合ってないのに、すっきりしたリズムとイチローという人名のすごさで納得させる。ナイス、クリーンヒット※！　星二つ！

※クリーンヒット：野球で、みごとな当たりの安打。

## 草茂みベースボールの道ひろし@歌手

冬のおこじょ

冬のおこじょのギャ句は、たった一音しか変換していないのだが、「@歌手」道ひろし※という人名のわからなさゆえすっきりとはしない。星一つ。

※道ひろし：Facebookによると、海一筋の人生から、歌手、作詞家、観光大使、エッセイストに転身し活動中。

ギャ句技解説

人名変換

道白し→イチロー氏　み（ち）しろ（し）→い（ち）ろう（し）

道白し→道ひろし　（みち）し（ろし）→（みち）ひ（ろし）

季語解説

雲の峯《くものみね》　◆天文　三夏

夏空に湧く上昇雲。特に積乱雲は日ざしを受けて白く輝き、山並みの様に立ち並ぶため、このように名付けられた。お坊さんの坊主頭に似ていることから「入道雲」とも。

**雲の峯つひに白帆の上りけり**　子規　明治25年

原句解説

雲の峯が聳え立つ青い空の真下をしずしずと進んでいた船が、白帆を揚げ、風を受け、今、走り出した。

# 雲の峯つひに白旗上りけり@俳句甲子園

★★★

星埜黴円

「@俳句甲子園」を付け、場面を限定した。普通「白旗を上げる」と言えば敗戦の印だが、負けという意味ならば、「つひに白旗上げにけり」となる。俳句甲子園[※]では赤旗、白旗の旗色の多さを競うので、白チームへの旗が上がったことをさす。俳句甲子園の風景を詠んだことにあっぱれの気持ちを込めて、星一つ。白帆→白旗と漢字一字のみの変換だが、しらほ→しろはたで、読みはやや遠い。これが同じ読みや音数ならもっと星が期待できる。

※俳句甲子園：愛媛県松山市で毎年夏に全国大会が開催される高校生のための俳句大会。五人一組のチームで参加。実作力に加え、討論による俳句の鑑賞力を競う。「高校生にしか語れない俳句がある」がキャッチフレーズ。

**ギャ句技解説**

**名詞変換** 白帆→白旗

## 芥子の花《けしのはな》

◆植物　初夏

**季語解説**

東ヨーロッパ原産、中国から日本へ伝わってきたと言われる。薬用、鑑賞用で栽培されていたが、現在では阿片が採れる品種は、あへん法で栽培を原則禁止されている。

# 芥子咲いて其日の風に散りにけり　子規　明治28年

**原句解説**　芥子の花が咲いて、その日のうちに風に散ってしまった。

★☆☆

# 決済で其日の稼ぎ散りにけり　西川由野

「芥子」の季語はなくなったが、切ない気分の「散りにけり」が生きている。「其日の」も効いている。けしさいて↓けっさいで、とリズムが揃ってるのはいい。

**ギャ句技解説**

**母音揃変換** 母音を揃え、リズムを整える。芥子咲いて（エイアイエ）→決済で（エッアイエ）

**オチ変換** 風に→稼ぎ

## 五月雨《さみだれ》 ◆天文　仲夏

**季語解説**

陰暦五月の頃に降り続く長雨。陽暦では六月だから、梅雨と同じ雨なのだが、「梅雨」と、「五月雨」では全く語感が違う。五月雨は、田植えのための恵みの雨の意もある。

# 五月雨の足駄買ふ事忘れたり　子規

**明治26年**

**原句解説**

足駄《あしだ》を買おう買おうと思いつつ、忘れたまま五月雨が降り出した。足駄とは、雨が降って道の悪い時に用いる高下駄のこと。

# 五月雨のアシカ這ふ事忘れたり

トポル

足駄じゃなくて、アシカ?! 何を忘れたのかと思ったら、這うことを忘れたって、わははは、なんで? アシカが、「ああ、いい雨だよ」と喜んで、這うのも忘れてうっとりと寝ている? このアシカが可愛いから、星一つあげる。

ギャ句技解説

旬い付変換　足駄買ふ→アシカ這ふ

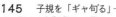

# 傾城の文とゝきけり五月雨　子規　明治26年

**原句解説**

五月雨の美しく降る日に届いた傾城《けいせい》からの手紙。どんな内容の手紙なのだろう。傾城とは最高位の遊女、または君主に愛されて一国一城をも傾けるほどの美人のこと。子規には遊女と思われる「傾城」を詠んだ句が幾つもある。

## ★★★ 訂正の文とゝきけり五月雨　小市

ギャ句には原句の色っぽさはない。この文は事務的な「訂正文」だったという。基本的な一音変換技でがっちり型を決め、原句とのギャップもある。星二つ。

**ギャ句技解説**

**名詞変換**　変換は一音のみ。傾城→訂正　け（いせい）→て（いせい）

# 五月雨や上野の山も見あきたり　子規　明治34年

**原句解説**　来る日も来る日も雨ばかりでは、さすがの上野の山も見飽きてきた。

★★★

## 五月雨や上着の山も見あきたり　隣安

見飽きるほどの上着の山とは、どんな山？　クリーニング屋の洗濯物の山？　デパートの洋服売り場の返品の山？　大富豪のクローゼット？

**ギャ句技解説**

**名詞変換**　同じ「上」の漢字を持つ名詞に。（上）野↓（上）着

## 五月雨や畳に上る青蛙　子規

明治34年

原句解説

長雨があまりに降るせいか家の内も外も雨に湿って、青蛙も畳に上がってきた。

★★★

## 君誰や畳に上る青蛙

三重野とりとり

じめじめした梅雨どきの畳に手をついて座っている青蛙は可愛いけど、ちょっと嫌だ。ギャ句はその気持ちがよく出ている。「君誰や？」と蛙に聞いている作者の方が可愛い。見た目はだいぶ違うが、たったの一音変換。星二つ！

ギャ句技解説

台詞変換

変換は一音のみ。五月雨や→君誰や　さ（みだれや）→き（みだれや）

季語解説

百日紅 さるすべり・ひゃくじつこう ◆植物 仲夏

梅雨明け頃から九月末まで百日間咲き続けることから百日紅。花の色はピンク、白、淡紫。樹肌が滑らかで猿も滑りそうだから、さるすべりの呼び名も。

学校の昼静かなり百日紅 子規 明治27年

原句解説

生徒の姿のない静まり返った夏休みの校舎の片隅に咲く百日紅。白く乾いたグラウンドを吹き抜けてきた熱風に、花びらもこぼれるか。

★★★

執行の昼静かなり百日紅

小市／板柿せっか
（同ギャ句二名）

原句の持つ静けさをギャ句も生かしている。それどころか、もっと恐ろしい静けさになっている。たった一音の変換で退屈で平和な学校の風景から、死刑執行の昼下がりの沈黙へ、極端な場面転換は技あり！　星二つ！

**ギャ句技解説**

**名詞変換**　変換は一音のみ。学校→執行　が（っこう）→し（っこう）

鮓《すし》◆人事　三夏

**季語解説**

もともとの鮓は、魚介類を塩で保存し自然発酵させたものに飯を加え、飯が発酵して魚が熟し酸味が出てきたものを言う。夏の暑さ対策に酢を使うので、夏の季語に。

# 鯛鮓や一門三十五六人

子規　**明治25年**

**原句解説**

子規の郷里松山には、もぶり飯（松山鮓）というちらし鮓がある。もぶる、とは混ぜること。鯛を載せたもぶり飯、または鯛の押し鮓を、一門三十五六人うち揃って食べている光景か。

## 鯛鮓や一門三〜五六人

★★★

隣安

波ダッシュ記号「〜」を使った変換は初めてかと思う。一門たったの三〜五六人って、人数が十分の一に減ってしまった。えらい淋しくなったもんだ。星二つ。

**ギャ句技解説**

**記号変換**　（三）＋（五六人）→（三）〜（五六人）

季語解説

涼し《すずし》 ◆時候 三夏

夏は暑い。昔はエアコンもなかったから、打ち水や端居《はしい》をしたり、下着姿などで夏を乗り切った。体感温度だけでなく、「涼」を求めて風鈴や釣忍《つりしのぶ》など音や見た目の涼しさも工夫した。

# 立ちよれば木の下涼し道祖神

子規 明治26年

原句解説

歩き疲れて木の下の涼しい木陰に立ち寄れば、そこに道祖神がおられた。

★

## 立ちよれば木下鈴木道祖神

宇佐美好子

立ち寄った所に、木下と鈴木と、道祖神がいた。わははははは。具体的な名前が笑いを誘う。

**ギャ句技解説**

【同音異字変換】と【人名変換】のダブル技。木の下→木下　涼し→鈴木（すず）し→（すず）き

# 涼しさや人さまざまの不恰好　子規　明治27年

**原句解説**

涼しさを求めて、人は様々の不格好をしている。涼しげに見えるのも、不格好さゆえ。

★★★

# 涼しさや人さまざまの部活動　小市

小市のギャ句は、様々な部活動に励む若者たち。それぞれが自由に楽しんでいる様子は涼し

気である。

**ギャ句技解説**

**名詞変換** 不格好→部活動

**季語解説**

夏の暑さを忘れて、屋外や水の近くなどに涼をもとめること。夕涼みをはじめ様々な涼み方がある。

**納涼《すずみ》**◆人事　晩夏

# ある人の平家贔屓や夕涼

子規　明治28年

**原句解説**

夕涼みの席で、ある人が平家を褒め称える話をした。平家贔屓もあれば源氏贔屓もあり、たちまち談論風発となる、楽しい夕涼みの一場面。

# ★☆☆ ある人の巨人贔屓や夕涼

吉村よし生

平家対源氏と言えば、阪神対巨人。昔も今も対立するファンの心境は同じ。ギャ句の場面は、同じ夕涼みでも、会社帰りのビアホールかもと想像は広がる。原句の意味を忠実に保ってはいるが、惜しい、「平家」→「巨人」は音が離れすぎている。星一つ。

**ギャ句技解説**

**匂い付変換** 音よりも○○贔屓という意味を重視。 平家（贔屓）→ 巨人（贔屓）

# えらい人になつたさうなと夕涼　子規　明治29年

**原句解説**

誰それは、えらい人になったそうな。近所の人の集まる夕涼みの場は噂話もにぎやか。子規も、「新聞の俳句欄の選者になったそうな、偉い人になったもんだ」なんて言われたことがあったかも。

## ★★★ えらい事になつたさうなと夕涼　あまぷー／吉村よし生（同ギャ句二名）

えらい人と、えらい事では、えらい違いだ、天国と地獄だ。あそこの家はえらい事になったそうな、と噂されるのはできたら避けたいもんだ。

**ギャ句技解説**

**名詞変換**　漢字を一字、音を一音変えた基本的な変換技。人→事　ひ（と）→こ（と）

田植唄《たうえうた》◆人事　仲夏

季語解説

田植えの神事に使われる歌。田植えをする時に歌いながらリズムに乗って楽しくする仕事歌。

朝夕に神きこしめす田歌かな　子規　明治25年

原句解説

朝夕に、神も聞いておられる田植歌だなあ。

★☆☆

朝夕に神きこしめす宇多田かな　伊予吟会　宵嵐

宇多田ヒカルの歌も朝な夕な、神がお聞きになるのにふさわしい、というギャ句かい？　うちのスタッフが、「宇多田？　神※ってますね」と言う。たぶん原句の雰囲気にぴったり合っているに違いない。星一つ。

※神《かみ》ってる：「神がかっている」、「神業」などを表現する省略表現。現代スラング。

**ギャ句技解説**

**アナグラム変換**

語順を入れ替え、濁点を付けたひねり技。変換は一音のみ。田歌→宇多田

た（うた）→（うた）だ

## 夏嵐《なつあらし》

◆天文　三夏

**季語解説**

夏に吹き荒れる風。木々の緑の香りを運ぶ「薫風」、木々が風に騒ぐ「青嵐」、季節風の「南風」、どれも夏の風である。

# 夏嵐机上の白紙飛び尽す

子規　明治29年

**原句解説**

夏の嵐が窓から吹き込んできて、机上の白紙が一枚ずつ、一斉に、パラパラと飛び尽くした。片付ける人は大変だけれど、さぞ愉快な眺めだったろう。

## 夏嵐白紙答案飛んでった！

★★★

しめた、どこまでも飛んで行けって？

プチマダム

## 夏嵐机上の白紙顔にぺた

★★★

夏嵐で飛ばされた白紙が顔にぺたとくっついたって⁉　レアな一瞬‼

華

## 夏嵐機上の博士立ち尽す

★★★

シートベルトのサインが点灯中は、博士といえどもご着席下さい。

トポル

# 夏嵐机上のパクシー飛び尽す

★★★

赤馬福助

パクチーならわかるが、パクシーって何？　半濁点に長音を足して音は近いが、何かわからなければ、何ともはや……。

ギャ句技解説

匂い付変換　机上の白紙飛び尽す→白紙答案飛んでった！

オチ変換　下五の音とは無関係に意味でオチをつけた。飛び尽す→顔にぺた

同音異熟語ダブル変換　同じ音で漢字熟語を変える。机上→機上　白紙→博士

名詞変換　と　カタカナ変換　のダブル技。白紙→パクシー

まあ、そうじゃのう。どの句も気持ちはわかるが、あと一歩粘れ。この原句は、パラパラアニメみたいな光景がキモだから、そこを綺麗に見せて欲しかった気もするぞ。ギャ句の基本、「最小の文字変換で最大の意味変換」をもう一度、よろしく哀愁！　うほん。

**夏草**《なつくさ》　◆植物　三夏

**季語解説**

力強く生い茂る夏の草で山野は一面緑に染まる。その生命力と勢いが愛され、これまで多く詠まれてきた。

## 夏草やベースボールの人遠し　子規

明治31年

**原句解説**

夏草の原っぱの遥かに、草野球を楽しむ人々が遠く見えている。子規は、日本に最初に野球が入って来て以来の野球ファン。自らもプレイして捕手を務め、病に倒れるまで続けた。

夏草やノースポールの人遠し

ノースポールは北極だからそら遠いわ。そもそも北極に夏草が生えるかっ！

純音

夏草やゲートボールの人遠し

ゲートボールへの変換も多かった。ゲートボールは遠くから見ても面白くないぞ。

レミオン

夏草やゲートボールの人貴し

どんな貴い人がゲートボールやってるのか?!

有本仁政

## 夏草やベースボールの人隠し

隣安

一番多かったパターンが「夏草やベースボールの人○○し」。たくさん類想があった中で、夏草がベースボールの人を隠したってのは、俳句っぽい。

## 語り草やベースボールの人頓死

のんしゃらん

季語もないし、縁起でもない（笑）。

# 夏草やベースボールの球当たる

華

あいたっ。華よ、夏草に寝ころんでいたのかい？

**ギャ句技解説**

**名詞変換** ベースボール→ノースポール　ベースボール→ゲートボール

**形容詞変換** 遠し→貴し

**品詞変換** 形容詞を動詞に。遠し→隠し

**匂い付変換** と **オチ変換** のダブル技。夏草や（ベースボールの人）遠し→語り草や（ベースボールの人）頓死

**オチ変換** 人遠し→球当たる

金子どうだセンセーの
ギャ句上級講座

【名詞変換】の技じゃな。中七を、ベースボール→ゲートボール→ビーチボール→デッドボール→ミートボール、といくらでも変えられる。ノースポール、と地名を持ってきたのはなかなかの技じゃ。ということはサウスポールもあり。後は、季語「夏草」を残すか、下五「人」を残すか、というヴァリエーションがあるのう。いや、よしよしよし子さんじゃ、うほん。

夏氷《なつごおり》 ◆人事　三夏

季語解説

氷を掻き削り雪状にしたものに、糖蜜汁をかけたものが「夏氷」。「氷菓」「アイスクリーム」も同様に夏の季語である。

一匙のアイスクリムや蘇る　子規　明治32年

原句解説

一匙のアイスクリームで、暑さも忘れ、蘇るようだ。高浜虚子の家で珍しいアイスクリームを御馳走になった礼状に書かれた句だという。

★★★

人様のアイスクリムや蘇る　純音

人様のアイスクリムを舐めておいて、「あ〜蘇るぅ」と叫ぶ純音。一音のみのすっきり変換、よろしいいんじゃないの。星二つ！

ギャ句技解説

名詞変換

一音の変換で熟語ごと変換。一匙→人様（ひとさ）じ→（ひとさ）ま

夏の夜《なつのよ》◆時候　三夏

季語解説

「短夜」のように限定された意味は持たないが、やはり「夏の夜」は寝苦しいもの。涼しさを求めて夜更かしをしがちである。

夏の夜のあけ残りけり吾妻橋　子規　明治21年

原句解説

まだ夜が明ける前の吾妻橋。橋のシルエットに夏の夜の涼しさも残っているようだ。

# 夏の夜の焼け残りけり吾妻橋

★★★

徳

夏の夜に火事になり吾妻橋が焼け残った、というギャ句。隅田川にかかる吾妻橋は、関東大震災で木製だった橋板が焼け落ち、現在の橋は昭和六年に再建されたのだそうだ。あっぱれ徳！　あっぱれ吾妻橋！

**ギャ句技解説**

**動詞変換**　あけ↓焼け　あ（け）↓や（け）

## 恐ろしき夢見て夏の夜は明ぬ

子規　明治26年

**原句解説**

恐ろしい夢を見ているうちに、夏の夜が明けてしまった。昔も今も、夏は暑くて寝苦しく悪夢を見がち。今は冷房を使えばいいのだが、かけすぎてもまた怖い夢を見る。

# 恐ろしき嫁見て夏の夜は明ぬ

★★★

五月野敬子

嫁を一晩中怒らせてしまうとは……。この夫、一体何をしでかしてしまったのだろう。短いはずの夏の夜をさぞ長く感じたことだろう……。

**ギャ句技解説**

**名詞変換** と **オチ変換** のダブル技。変換は一音のみ。夢→嫁　ゆ（め）→よ（め）

## さまざまの夢見て夏の一夜哉

子規

明治31年

**原句解説**

様々な夢を見続けて、眠りの浅い夏の一夜だった。

# さまざまの夢見て夏の質屋哉

★★★

黄金虫

この夢は寝て見る夢ではない。質屋にこれを入れて、その金であれを買って、なんて儚い夢を見る人の真夏の夜の質屋物語。「夢見て」という言葉は変えないで、下五を一音変えることで「夢見て」の意味を変換した。「質屋」の場面転換の意外性も面白い。星二つ！

**ギャ句技解説**

**シチュエーション変換**

変換は一音のみ。一夜→質屋　い（ちや）→し（ちや）

**季語解説**

**夏休**《なつやすみ》◆人事　晩夏

主に学校などで、夏の暑さを避け休校とする期間のこと。これを利用して避暑や帰省に充てる場合が多い。

# 夏休ミ夜店ニ土産トヽノヘテ　子規　明治35年

**原句解説**

夏休み、里帰り前に夜店で土産を買っている子か。それとも、夏休みで里帰りした子に、夜店で土産を買って持たせる親か。「夜店」も夏の季語。

★★★

## 夏休ミ夜逃ニ土産トヽノヘテ

綱長井ハッオ

図らずもギャ句では季語が一つになっている。今日夜逃げするって夜に、居候先の家に手土産を整えるとは律儀な人だ。夏休みに夜逃げってのも季節感がある。星三つ！

**ギャ句技解説**

**名詞変換**「オ・イ・エ」という母音が揃う**母音揃変換**で、リズムが整ってよい。夜店→夜逃（よ）みせ→（よ）にげ

## 夏山《なつやま》 ◆地理 三夏

季語解説

夏は登山のシーズン。新緑や青葉の山、梅雨の山、滴る山など、様々な山の姿を総称して夏の山と言う。

# 夏山や五十二番は岩屋寺　子規　明治31年

原句解説

四十五番札所の岩屋寺がなぜ五十二番？　と謎が深まる句。岩屋寺は、四国遍路八十八ヶ所のうち四番目の高さで、三十分近く参道を歩いて登る難所の一つと言われ、特に夏のお参りはきつい。「遍路」は春の季語、「秋遍路」は秋の季語。夏や冬は暑さ寒さが厳し過ぎ、歩き遍路は難しいとされた。

★★★

# 夏山や五十二点は岩屋寺　平本魚水

岩屋寺は五十二番目でなくて、五十二点だとさ。お遍路さんたちの口コミランキング？　何にでも星や点数をつけて口コミや評判を気にする現代人の風潮を風刺しているのか。面白い、星二つ！

## 夏山や五十二トンは岩屋寺

平本魚水

五十二トンは岩の重さ？　岩屋寺の壮観にふさわしくてよろしい。星一つ！

## 夏山や五十二寸は岩屋寺

平本魚水

魚水、調子に乗りすぎたな。五十二寸って何が？　五十二寸は約百五十七センチだから、札所ならではの弘法大師像の背丈とか？　よくわからんが、おまけの星一つ！

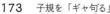

**ギャ句技解説**

**助数詞変換** 全て変換は一音のみ。番→点　ば（ん）→て（ん）、番→トン　ば（ん）→と（ん）、番→寸　ば（ん）→す（ん）

**季語解説**

**蝿**《はえ》 ◆**動物**　**三夏**

羽音がうるさく、食べ物にたかる習性を持つので人に嫌われる。蝿叩き、蝿取紙、殺虫剤などで駆除する。

# 飯粒の一粒づゝに蝿とまる

**子規**　**明治27年**

**原句解説**

飯粒の一粒ずつに蝿が止まっている。これが、飯茶碗の上にびっしり止まっていると言われるよりはいくぶんましか。

## 飯粒の一粒おきに蝿とまる ★★★

吉村よし生

わははは。一粒おきだから、原句の半分しか蝿がいない。それでも尚且つすごい蝿。一粒おきと数えてる君もすごい。星三つ！　結局、音が遠くても面白けりゃよしってこと。

**ギャ句技解説**

**シチュエーション変換**

一粒づゝに→一粒おきに

季語解説

麦秋《ばくしゅう》　◆時候　初夏

ほとんどの穀物が実るのは秋だが、麦は夏に実るためこのように呼ばれる。黄熟した麦の穂が風に揺れる風景は印象的。

麦の秋老婆遠方より来る　子規　明治27年

原句解説

黄金色に熟れた麦の穂が揺れる、遠方から老婆がやって来た。

★★★

麦の秋老婆三方より来る　出楽久眞

遠方より歩いて来るだけで句になる老婆だけど、それが三方から来るとなると、老婆の存在感すげー。「緑陰に三人の老婆わらへりき　西東三鬼」みたいな怖さがある。星二つ！

**ギャ句技解説**

**名詞変換** 変換は一音のみ。遠方→三方 え（んぽう）→さ（んぽう）

**季語解説**

郭公《かっこう》や筒鳥《つつどり》に似ているがより小さい。鳴き声は、「テッペンカケタカ」「トッキョキョカキョク」などと聞きなされ、遠くからよく響く。日本に夏を告げる鳥。

**時鳥**《ほととぎす》 ◆**動物　三夏**

# うたゝねの本落しけり時鳥

**子規　明治24年**

**原句解説**

本を読んでいると、ついうたた寝をして顔の上に本がばさりと落ちる。時鳥の声が遠くに聞こえる。

# うたゝねのphon《ホン》落としけり時鳥

吉村よし生

前回※のギャ句本には、ほととぎす→トホホギス、という古典的なギャ句変換があったが、今回はさすがになかった（笑）。寝転がって何かを落とすという構造は変わらない。子規さんも布団で本を読みながら、何度顔の上に本を落としたことか。この痛みは実際に経験した人にしかわからない。本ならまだいいが、携帯電話が顔に落下したら相当痛い。しかしフォンをホンと読ませる【アルファベット変換】は強引すぎやしないかい、よし生？

※前回のギャ句本：夏井いつき『折々のギャ句辞典』（創風社出版）の37ページに、「うたゝねの本落しけりトホホギス　ももかん」というギャ句が載っている。

金子どうだセンセーのギャ句上級講座

いくらでも変換できる典型的なパターン。「ん」が後につく言葉で顔の上に落とせる物といや、糞（フン）、ペン、ピン、缶（カン）、拳銃（ガン）、パン、（牛の）タン、盆（ボン）……といくらでもあるのに、何ゆえフォンでもなく無理読みの「ホン」なんじゃ？　しかも【アルファベット変換】の「phon」の綴りにeが抜けとる。正解はphoneじゃ、うほん！

**落城の昔に似たり時鳥**　子規　明治26年

**原句解説**　時鳥の鳴き声は今も昔も同じ。落城の昔も似たような時鳥の声が聞こえていたのだろう。

★★★

**落城の昔に煮たり時鳥**　山崎点眼

山崎点眼のギャ句は、落城間近にして籠城し、兵糧も尽き、鳴いている時鳥を射殺して煮て食べた、という悲しい思い出の場面か。時鳥はできれば食べたくない。泉鏡花[※]の著作『眉かくしの霊』[※]に出てくる鶫《つぐみ》鍋の話を思い出すよ。

※泉鏡花：明治後期から昭和初期にかけて活躍。『外科室』、『高野聖』、『婦系図』など、観念小説で知られる。

※『眉かくしの霊』：泉鏡花最晩年の幽霊譚。物語の前半に鶫鍋のくだりがある。

**ギャ句技解説**

**同音異字変換** 似→煮

## 短夜《みじかよ》 ◆時候 三夏

**季語解説**

夏の夜は短く、明けやすい。日永は春、短夜は夏、夜長は秋、短日は冬、とそれぞれの季節の日や夜の長短を表すのに良い季語がある。

# 短夜や宿もとらずに又こよい　子規

明治25年

**原句解説**　夜が短いので、また今宵も宿をとらずにたとえ眠れなくても野宿している。

★★★

# 短夜や宿もとらずに又来ぉわい

伊予吟会　宵嵐

今日のところは一泊せずに帰ります。また来ますから。「来ぉわい」は伊予松山の伊予弁。なかなかええわい、宵嵐。星一つ！

金子どうだセンセーのギャ句上級講座

【方言変換】のいい味が出ておるんじゃが、ここで、ちっとまた添削させてもらおう。こよい→こいよ、という最小の変換で、意味を大きく変える技、【アナグラム変換】もあったんじゃ。これをやっていたら★★、となっていたかもしれんの。いやまあ、好きじゃが。うほん。

ギャ句添削：短夜や宿もとらずに又来いよ　金子どうだ（宿なんかとるなよ、水臭い、また家に来いよ）

# 短夜や幽霊消えて鶏の声

子規　明治29年

**原句解説**

短夜なので、幽霊が出たと思ったらすぐに消え、朝の鶏の声が聞こえた。季語ではないが、幽霊にも夏の季感がある。

★★★

## 短夜や幽霊飢えて鶏の声

あまぷー

ギャ句の方が怖い。短夜に飢えた幽霊が鶏を襲ったというのだよ。襲われた鶏の断末魔の声が響き、満腹した幽霊は消えて静かになった……。「鶏の声」という言葉を全然いじらず意味を変えるのは、技あり！　星二つ！

**ギャ句技解説**

**動詞変換**　変換は一音のみ。消えて→飢えて　き（えて）→う（えて）

## 夕立《ゆうだち》　◆天文　三夏

**季語解説**

夏の夕方に多い現象。夕立雲が湧いたかと思うと、にわかにかき曇って暗くなり、バケツをひっくり返したような大雨が降って、すぐに止む。すぐ止むと知っているので軒で雨宿りする人も多い。

# 夕立や松とりまいて五六人

**子規**　**明治24年**

**原句解説**

庭園を見物していたか、松並木を通りかかったか。夕立がざあっと来て、大きな松の木の下に駆け込み、雨宿りしている五、六人。

# 夕立や妻とりまいて五六人

★

佐東亜阿介

原句から連想すると、この妻は大きな傘を持っているのだろう。駅前で、夕立がざあっと来て、その妻の大きな傘の下に駆け込み、雨宿りしている五、六人（のサラリーマン）って、図々しいやろ（笑）。シンプルなひっくり返しの技が面白い。星一つ。

**ギャ句技解説**

**アナグラム変換**

松→妻　まつ→つま

**季語解説**

**百合**《ゆり》◆植物　初夏

大輪の花は直径二十センチほどにもなり花びらは中ほどから外側へ反り返り、強い香りを放つ。色は白のほか、赤、ピンク、黄色、オレンジ、黒など多種多様。

# うつむいて何を思案の百合の花　子規　明治28年

**原句解説**　うつむいて咲く百合の花は、何を思案しているのだろうか。

## うつむいて何でしまうの百合の花　平本魚水

百合の花をプレゼントしようとしたのか？　勇気が出なくて、うつむいて後ろにしまってしまった気弱な男……。

# 鬱六日何を思案の百合の花

にゃん

★★★

百合の花の思案気な様子を、鬱の六日目の状態にたとえたのか？　「うつむいて」の気分を残しつつ、「鬱六日」と状況を変えてしまう技に、星二つ！

**ギャ句技解説**

**匂い付変換**　何を思案の↓何でしまうの

**シチュエーション変換**　字面は大きく変わったように見えるが、実際は一音のみの変換。うつむいて↓鬱六日（うつむい）て↓（うつむい）か

**六月**　ろくがつ　◆時候　仲夏

**季語解説**

田植の季節。梅雨の季節。三夏のうち仲夏。水無月《みなづき》は陰暦の六月のことで、陽暦の七月にあたる。

# 六月を奇麗な風の吹くことよ　子規　明治28年

**原句解説**　地上のすべての草木が緑一色となる六月を、綺麗な香《かぐわ》しい緑の風が吹き渡る。

★★★

## 六月を奇妙な風の吹くことよ　ペトロア

奇妙な風とはどんな風か？　誰に、何に、どこを吹いているのか。青年か、少女か、小舟か、リボンか、入り江か、校舎か。原句の綺麗な風が、急に落ち着かない雰囲気に変わるこの奇妙な感じは……。星一つ。

**ギャ句技解説**

**形容動詞変換**　（奇）麗（な）→（奇）妙（な）

季語解説

樹木が新たに出した葉。新緑、新樹よりも瑞々しく柔らかい葉の緑を感じる。

若葉　わかば◆植物　初夏

# 家あって若葉家あって若葉哉

子規　明治27年

原句解説

家があって若葉があり、また家があって若葉がある。若葉の緑が瑞々しく目にうつる住宅街の家並みである。

★★★

## 家あってスタバ家あってコメダ哉

有本仁政

原句のままならば、家あってスタバ家あってスタバ哉、になると思うが、なぜコメダなの？　有本仁政の個人的趣味？　今コメダ珈琲が多くなって、スタバが押され気味っていうことか？　そのうち、家あってコメダ家あってコメダ哉、になる日もくるかも!?

※スタバ：スターバックスの略称。一九七一年にアメリカ合衆国ワシントン州シアトルで開業した、世界規模で展開するコーヒーのチェーン店。二〇一五年現在、およそ九十の国と地域で営業。
※コメダ：一九六八年に名古屋市で開業したコメダ珈琲店。全国四十七都道府県に出店し、二〇一九年八月現在、国内八百四十九店舗を数える。

**ギャ句技解説**

**カタカナダブル変換**

若葉→スタバ　若葉→コメダ

# 秋
autumn

秋《あき》◆時候　三秋

季語解説

立秋から立冬の前日までを秋という。初秋（八月）、仲秋（九月）、晩秋（十月）の三秋からなる。穀物が実り、大気は澄み、木々は紅葉する。

# 七年の秋を達磨に尋ねはや

子規　明治25年

原句解説

七年の秋とはどんなものか、達磨に尋ねてみよう。達磨大師は壁に向かい九年の座禅を行い、手足が腐って達磨姿になったと言われる。どんな実り（悟り）を得たのか、達磨に問いかけたいと思っているのだろうか。

★★★

## 失念の秋を達磨に尋ねはや

五月野敬子

私が何を忘れたか、「だるまさん、だるまさん……」と、だるまに聞いてみようってか？

このとぼけた味わいに、星二つ。

**ギャ句技解説**

**名詞変換**　変換は一音のみ。七年↓失念（し）ち（ねん）↓（し）つ（ねん）

**季語解説**　立秋から吹き始める風。残暑を過ぎると徐々に爽やかになり、晩秋には冷たく吹く。

**秋風**《あきかぜ》◆天文　三秋

# 秋風の一日何を釣る人そ　子規　明治25年

**原句解説**　秋風の中、日がな一日釣りをしている人は、何を釣っているのだろう。

★★★

# 秋風の一日足を攣る人ぞ

星埜黴円

夜中に足が攣って目覚めるのは辛いが、一日中足を攣っていたらもっと辛いぞ。他人事なら笑えるギャ句。音は遠いが、二ヶ所同時に漢字を変換してすっきりと見せた。星二つ。

**ギャ句技解説**

名詞変換　何→足

同音異字変換　釣→攣

**秋風や高井のていれぎ三津の鯛**　子規

明治28年

## 原句解説

子規の故郷の味覚を二つ並べた。瀬戸内はやはり鯛。秋の鯛は紅葉鯛とも呼ばれ、鱗の赤みが強く脂ののりが良い。三津浜の鯛を刺身に、松山市の天然記念物である高井のていれぎ※をつまにして食べるとうまい、秋風が吹く頃であるよ。

※ていれぎ：大葉種浸花を松山市ではていれぎと呼ぶ。清流の岸辺に生える水草。「杖《じょう》の淵《ふち》公園」（松山市南高井町）で保護栽培されている。辛味があり、刺身のつまに良い。

# 秋風や高いの手に入れ三津の鯛

谷口詠美

三津の鯛という「高いの手に入れ」た、ってギャ句。昔は子供でも簡単に鯛が釣れたもんだが、買うと確かに高い。三津浜には美味しい鯛めし屋さんもあった。

### ギャ句技解説

**匂い付変換**　変換は一音のみ。高井のていれぎ↓高いの手に入れ　（たかいのて）（いれ）ぎ↓（たかいのて）に（いれ）

**秋雨**　あきさめ　◆天文　三秋

# 秋の雨荷物ぬらすな風引くな　子規　明治30年



秋雨は、静かに降るにしろ、激しく降るにしろ、冷たく陰気な印象が強い。

## ★☆☆

# 秋の雨もつ煮ぬらすな風引くな　樫の木

「もつ煮」は絶対に濡らしたら嫌（笑）。語順を入れ替えガラリと別物にした。星一つ。

**ギャ句技解説**

**アナグラム変換**

荷物→もつ煮　にもつ→もつに

## 秋の暮《あきのくれ》 ◆時候　三秋

季語解説

秋の夕暮れと、秋の末と両方の意味があるが、基本的には夕暮れの意味で使われる。古来、歌われてきた季語で、もののあはれや寂しさを感じさせる。

### 女郎買をやめて此頃秋の暮　子規　明治33年

原句解説

此の頃は女郎買いを止めた。淋しい秋の夕暮れであるよ。公娼が認められていた明治時代には、「女郎買い」をする遊郭があった。人生勉強と思って登楼する学生や社会人もいたかもしれぬが、はまってしまっては……。

★★★

### 女郎買をやめてごろごろ秋の暮　星埜黴円

「女郎買をやめてごろごろ」してるって、面倒くさくてやめたってこと？　秋の暮で淋しいことは淋しいんだけど、やっぱ面倒くささが勝つギャ句。星二つ。

ギャ句技解説
匂い付変換
此頃→ごろごろ

秋の七草《あきのななくさ》
◆植物　三秋

季語解説
秋の野に咲く代表的な草花。萩、芒《すすき》、葛、撫子《なでしこ》、女郎花《おみなえし》、藤袴《ふじばかま》、桔梗で、春の七草に対応する。

# 花を折る程には酔はす秋の草

子規

明治21年

原句解説
秋草の可憐な花を折るような真似をするほどには酔っていない。

# 鼻折れる程には酔はず秋の草

★★

五月野敬子

酔いのバロメーターとしてのギャ句シリーズ。鼻折れる程には酔はず、腕を折るほどには酔はず、あばら骨にひびいる程には酔はず、って酔えば酔うほど怪我がひどくなるから、程々に酔いましょってこと。星二つ。

**ギャ句技解説**

匂い付変換　花を折る↓鼻折れる

## 季語解説

**枝豆** えだまめ ◆人事 三秋

※松山市立子規記念博物館データベースの分類では、「植物」となっている。

大豆のまだ熟さない時分に穫って、枝つきのまま塩茹でにして食べる。十五夜に供えるので「月見豆」とも言われる。

# 枝豆ヤ三寸飛ンデ口ニ入ル

子規 明治34年

## 原句解説

三寸は約九センチ。枝豆を莢から取って食べていると、思わず飛び出し、みごと口に入ったという句。

★★★

# 枝豆ヤ散々飛ンデ口ニ入ル

にゃん

枝豆を何個も何個も、散々飛ばして、やっと一つ口に入った。これは一音だけ変え、すっきりと決まって、気分も痛快。星二つ！

**ギャ句技解説**

**シチュエーション変換**

変換は一音のみ。三寸→散々（さん）す（ん）→（さん）ざ（ん）

**案山子**かがし ◆**人事　三秋**

**季語解説**

竹や藁などで作り、人の服を着せた人形。畑に立てると、鳥や獣などが人と見間違えて作物を荒しに来ない。

# 世の中の人や案山子の出來不出來

**子規　明治23年**

**原句解説**

世の中の人にも色んな人がいるなあ。畑の案山子に出来不出来があるのと同じように、と面白がって眺めている子規。

# 世の中の人や案山子の西城秀樹

純音

世の中には、西城秀樹を案山子にしたような人がいるもんだってか。はは。そこはまあいいとして、音のリズムで面白い人名変換をしてくれたよ。案山子の西城秀樹、というと真っ先に思い浮かぶのがY.※M.C.A.のアメリカ国旗の衣装。♪素晴らしいY.M.C.A.♪

※Y.M.C.A.：西城秀樹のシングル曲「YOUNG MAN（Y.M.C.A.）」（一九七九年）。アメリカのディスコ・ミュージック・グループ「Village《ヴィレッジ》 People《ピープル》」のヒットのカバー曲。

**ギャ句技解説**

**人名変換** 出来不出来→西城秀樹

柿 かき ◆植物　晩秋

季語解説

日本の秋の代表的な果物で、約九百種類があるという。正岡子規の柿好きは特に有名。

柿くへば鐘が鳴るなり法隆寺　子規　明治28年

原句解説

柿を食ったら法隆寺の鐘が鳴った。なんとも風流である。この有名な掲句には、最多の三十句のギャ句が集まった！　同じ「かき」の音で漢字を変換し、そこに入れ込む食べ物ネタがやたら多かった。

★★★

牡蠣くへば金がなくなる法善寺　トポル

法善寺横丁で一杯やりながら、生牡蠣を食ったらそら高いわ。金はすぐになくなる。

## 蟹くへば金がなくなり道頓堀

有田みかん

道頓堀のかに道楽で、「茹かに二種盛」を頼むと、食べやすく切った足十本で五千円とちょっとだから、一本あたり約五百円。やっぱ蟹も高い。金がなくなる。

## 藷くへば屁が鳴るなり放流時

のんしゃらん

藷《いも》は高くない。と思ったら、焼芋一本（大）五百円という店もあり、結構高い。法隆寺を（屁の）放流時、と同音で工夫したつもりだろうが下品だよ、のんしゃらん。

## 牡蠣くへば殻が散るなり床掃除

★★★

バロンyou

牡蠣殻を掃除しつつ食う、ってことは、市場で買った牡蠣を家食べ、家呑み。いいね。

## 柿食へぬ腹が鳴るなり勾留時

★★★

由づる

なんで勾留されちまったか？　拘留時に腹が減って鳴っている時まで柿が食いたいとは、子規顔負けの柿好きか？

# 課金くへば金がなくなりほぼ留置

★★★

佐々木延美

課金て何？　果物じゃないのはわかる。ほぼ留置ってどういうこと？

**ギャ句技解説**

**同音異字変換**　柿→牡蠣　鐘→金　法隆寺→放流時

**名詞変換**　柿→蟹、課金　法隆寺→法善寺、拘留時

**動詞変換**　鳴るなり→なくなる、なくなり

**シチュエーション変換**　柿くへば鐘が鳴るなり→蕾くへば尻が鳴るなり、牡蠣くへば殻が散るなり、柿食へぬ腹が鳴るなり

**オチ変換**　法隆寺→道頓堀、床掃除、勾留時

**匂い付変換**　柿くへば鐘が鳴るなり法隆寺→課金くへば金がなくなりほぼ留置

金子どうだセンセーのギャ句上級講座

いまだにスマホを使ってないお方にゃ縁のない話じゃろ。「課金」とは、つまりスマホ内で使用するアプリやゲームを買った人が携帯マネーで払う料金じゃ。無料のものも出回っておるため、買ってから、「あ、課金されるのか」と知って買うのを止めるパターンが「留置」。課金を食いすぎ金がなくなりほぼ留置、という現代の若者像をずばり詠んで、中々のもんじゃ。♡一つワシから追加じゃ！　談論風発。伸びたら散髪じゃ。まー、ワシには関係ないがのう。うほん。

# 句を閲すランプの下や柿二つ　子規　明治32年

**原句解説**

「句を閲《けみ》す」とは、子規が新聞の俳壇欄などの選者として選句している光景。ランプの下で夜なべして、たくさんの選句をして、ご褒美に柿を二つ食べた、その達成感。「三千の俳句を閲し柿二つ」の句もある。選句の束の山に埋もれ柿食う子規の姿にほんと共感するが、私は柿じゃなくて、水割り一杯が欲しい。

# 句を貶すランプの下や柿二つ

小市

★★★

けみす↓けなす、たった一文字の変換だけど、これだけ選者のたたずまいががらりと変わるギャ句もおみごと。星二つ！　だけどこの俳句を貶してる選者って……、私のことじゃないよね?!「貶した」覚えは一度もないからね、添削してより良くしてるだけだよ、小市！

**ギャ句技解説**

**動詞変換**　変換は一音のみ。閲す↓貶す（け）み（す）↓（け）な（す）

## 宿取りて淋しき宵や柿を喰ふ

子規　明治32年

**原句解説**　宿を取り、宵になってふと心淋しくなり、好物の柿を食った。秋はわけもなく淋しいものだ。

# 宿取りて淋しき酔いや柿を喰ふ

野中泰風

宿で酔ってきたものの淋しさがつのる。柿を食って心を慰めるってのは、子規の句と同じ風景。すっきりと変換してあるが、場面の飛躍がもっと欲しい。星一つ。

**ギャ句技解説**

同音異字変換　宵→酔い

## 桔梗《ききょう》

◆植物　初秋

季語解説

秋の七草の一つ。蕾の時は風船のように花弁がつながっており、開花するときっぱりと花弁が裂け、輪郭のすっきりとした紫の星型の花となる。白い花もある。

紫のふっとふくらむ桔梗哉

子規　明治30年

原句解説

ふっと紫がふくらんで咲いた桔梗。こんな咲き方をする花だったのだなあ。

★★★

胸先のふっとふくらむ帰郷哉

間唯可

胸が希望にふっとふくらんで帰郷した。綺麗にまとまりすぎているのが残念。あと一歩、想像の飛躍を目指せ！　星一つ。

**ギャ句技解説**

**名詞変換** 変換は一音のみ。紫→胸先（む）ら（さき）→（む）な（さき）

**同音異字変換** 桔梗→帰郷

**季語解説**

中秋の名月のこと。陰暦八月十五日の月。「名月」「満月」「望月」「十五夜」「月今宵」とも。

**今日の月**《きょうのつき》 ◆**天文** **仲秋**

# 江の嶋は亀になれなれけふの月

子規 **明治25年**

**原句解説**

江の島よ、亀になれなれ、今日の名月の下で。対岸から名月に照らされる江の島を見ていると、なるほど亀に見えてくる。「亀になれなれ」と言い、亀に乗って竜宮へでも行きたかったのか。

★☆☆

# 浦嶋は龜にのれのれけふの月

星埜黴円

げっ、黴円も同じ浦島太郎的な発想？　だからどうってこともないが、星一つ！

**ギャ句技解説**

**匂い付変換**　江の嶋は龜になれなれ↓浦嶋は龜にのれのれ

## 井のそこに沈み入りけり桐一葉

子規

明治25年

**季語解説**

**桐一葉**《きりひとは》　◆植物　初秋

他の木より早く落葉する桐の葉。桐の葉一枚の散るのを見て秋の到来を知る。大きな葉が、ばさり、と落ちる様を俳人は好んで句材とする。

**原句解説**

井戸の中に、大きな桐の一葉が落ちた。下をのぞくと、大きな葉が開いたまま水底に沈んでゆくのが見える。

## ★★★ 井のそこに沈み入りけりキリストは

あいむ李景

井の底に沈み入りゆく桐一葉の存在感に勝てるものと言えば、井の底に沈み入りゆくキリストくらいしかない。しかも見た目がずいぶん変わっているのに、なんとたった一字の変換。ギャ句の神髄に近づいたな、あいむ李景！　星三つ!!!

**ギャ句技解説**

**人名変換**と**カタカナ変換**のダブル技。変換は一音のみ。桐一葉↓キリストは（きり）ひ（とは）↓（きり）す（とは）

## 草の花　くさのはな　◆植物　三秋

季語解説

秋の野や庭や道端に咲く花の総称。華やかなものもあるが、秋に花をつけている草全て。地味で可憐なものが多い。

# 草の花練兵場は荒れにけり

子規　明治28年

原句解説

使われていない練兵場はただの荒れはてた空き地。草の花が平和に咲いている。

★★★

# 草の花新兵ジョーは荒れにけり

堀口房水

ジョーという名の新兵の心が荒れて、××ックユー！　とか叫んで、缶ビールを握りつぶして草の花を蹴っている場面か。漢字とカタカナ使いで見た目がだいぶ違って見えるが、実はたった二音の変換とはいいね、星二つ！

ギャ句技解説

匂い付変換と人名変換のダブル技。練兵場→新兵ジョー

# つくりしよ茶店の前の草の花　子規　明治28年

原句解説

茶店前の草の花は、いかにも野に自然に咲いているような雰囲気だが、誰かが作った花壇のようだ。

★★★

# ゆくりしよ茶店の前の草の花　小市

ゆっくりしようという意味か。ほっとさせる台詞に変換したギャ句は、茶店でちょっと休んでいきませんか、との草の花の語りかけのようにも感じられてくる。

**ギャ句技解説**

**台詞変換**　変換は一音のみ。つ（くりしよ）→ゆ（くりしよ）

## 鶏頭《けいとう》　◆植物　三秋

**季語解説**

赤い花の色や形が鶏の鶏冠に似ているところから付いた名。庭にかたまって咲き、仏花などにも用いられる。

# 鶏頭の十四五本もありぬべし

子規　明治33年

**原句解説**

鶏頭が十四五本もあるに違いない。子規の病床で行われた句会ではさほど人気がなかったが、後になって名句か駄作かの評価が分かれてしばしば「鶏頭論争」が起こるほど話題となった。「鶏頭論争」の影響なのか、ギャ句ラーの人気も高かったが、有名な句ほどギャ句るのがむつかしいのか……。似たり寄ったりのこのギャ句の行列を見よ。

★★★

**蛍光灯十四五本もありぬべし**

樫の木／西川由野（同ギャ句二名）

これが一番まともなギャ句だった。何とか家電量販店の蛍光灯売り場か。一見地味に見えて大技を使っているし、音はさほど変わらんが物ががらりと変わっているので星二つ。

★★★

**毛糸の十四五巻も編みぬべし**

亀田荒太

そんだけ毛糸あったら、マフラー何本編めるんだ？

配当の十四五万もありぬべし

よくわからんが、気をつけろ。

佐東亜阿介

芸当の十四五本もありぬべし

受けるネタならいいんだが。

星埜黴円

芸当の注視ゴロンもありぬべし

芸当の注視ゴロンってわけわかんないぞ、平本魚水？

平本魚水

## 斎藤の十四五軒もありぬべし

有本仁政

斎藤がそれだけ並ぶと見事。

## 解凍の十四五分もかけるべし

有本仁政

ステーキ？　たらば蟹？　レンジで解凍しちゃうのか!?

## 毛頭に十四五本もありぬべし

間唯可

毛頭って、髪の毛の先ほども……っていう意味からの間唯可の造語か？　それだけ枝毛があるって？　ちゃんと手入れしようね。

## 禿頭の十四五本もありぬべし

のんしゃらん／八かい／春野いちご（同ギャ句三名）

数えたらよけい寂しい。

## 酒瓶の十四五本も転びけり

なかの花梨

飲みすぎだよ。

鶏頭の十四五本も引つこ抜き

華

引っこ抜くな、華。

鶏頭の十四五万もありぬべし

吉野川

十四五万本はありすぎ。

どのギャ句を見ても、解説したくなる技というほどの技もない。

## ギャ句技解説

**名詞変換** 音の近い名詞に。鶏頭→蛍光灯、毛糸、配当、芸当、斎藤、解凍、毛頭

**助数詞変換** 本→巻、万、軒、分 ほ（ん）→か（ん）、ま（ん）、け（ん）、ふ（ん）

**動詞変換** あり→編み ありぬ→かける

**匂い付変換** 十四五本も→注視ゴロンも 鶏頭の→禿頭の 鶏頭の→酒瓶の

**オチ変換** ありぬべし→転びけり、引っこ抜き

### 金子どうだセンセーのギャ句上級講座

まあまあまあ。このギャ句本の真の狙いの一つは、子規の句を読んで味わうこと、じゃろ？ だったら大正解じゃ。特に、星二つの蛍光灯のギャ句はあっぱれ。家電量販店の蛍光灯売り場を設定して、原句の明るいようで陰鬱な雰囲気をちゃんと受け継いでおる。

実はワシも、この句を【同音異字変換】でギャ句ってみたんじゃが、あまり面白いのは思いつかなんだ、ワシの負けかの、うほん。

## ギャ句添削：継投の十四五人もありぬべし　金子どうだ

※継投：野球におけるリリーフ。先発投手の降板後、他の投手が登板すること。プロ野球では一軍登録は二十八人まで、ベンチ入りできるのは二十五人まで。十四、五人の投手がベンチ入りということは、野手は十人ほどしか入れない……。

**新酒**《しんしゅ》◆**人事　晩秋**

**季語解説**

今年の新米で醸造した酒の事。今年酒。新《あら》走《ばし》り。

# 居酒屋に新酒の友を得たりけり　子規　明治29年

**原句解説**

居酒屋で新酒を味わっていると、同じように新酒を楽しむ客がおり、今年の新酒はうまいね、なんて話から意気投合して友のように語らった。

# 居酒屋に新種の友を得たりけり

小笹いのり

「新種」の友ってどんな友？　今までの人生で会ったことのないような職種の人ってことか。俳句仲間って色んな人に出会ってしまうから、あまり新種感はない。句会には、大工あり、花屋あり、医者あり、坊主ありで、いろんなバックボーンを持った人が集まってくる。俳句やってない人には、俳人こそ「新種の友」かも！

ギャ句技解説

同音異字変換　新酒→新種

月《つき》◆天文　三秋

季語解説

俳句で月といえば、秋の月のこと。秋は大気が澄み切っているので、蒸し暑い夏や寒さ厳しい冬、春の朧に見える月とは違い、特に清らかに円《まろ》やかに見える。

## 月に來よと只さりげなく書き送る　子規　明治29年

**原句解説**

名月の夜に来いよ、とたださりげなく書いた手紙を送る。昔はEメールやラインはもちろん、電話もないから、手紙を書くしかなかったのだろう。

★★☆

## 月二個よと只さりげなく柿送る　こじ

ギャ句は、「月二個よ」と、柿を送ってくれる親。柿は子規の好物でもあった。同じ音の変換もうまい。星二つ。

**ギャ句技解説**

ぎなた変換 と 同音異字変換 のダブル技。月に／來よ→月／二個よ

## 月見《つきみ》◆人事　仲秋

季語解説

俳句で月と言えば、秋の月のことをさし、月見と言えば、主に陰暦八月十五日の中秋の名月を賞することを言う。

# ある僧の月も待たずに帰りけり　子規　明治31年

原句解説

月見の席から、ある僧が一人、月の出を待たずに帰った。翌朝早い法事でもあったのか、老いて夜更かしができぬのか。月を見ながら僧と風雅な話でもしようと思ったのに。

★★★

# ALSOKの月を待たずに帰りけり　凡鑚

登場人物が、僧侶からALSOK※の警備員にチェンジして、句の場面も激変。お月見をしていたら警報が鳴り、月を待たずに安全確認のために帰って行った警備員。あっぱれALSOK。上五の字面ががらりと違って見えるがなかなかのヒネリ技。星三つ！

※ALSOK《アルソック》：二十四時間三百六十五日いつでも必要な時に直ちに駆けつける安心警備を提供する、ALWAYS-SECURITY-OKを短縮した会社名。我が家でも義弟のニックが間違えて警報を鳴らし、ALSOKに来て確認してもらったことが数度ある。

**ギャ句技解説**

**アルファベット変換** ある僧→ALSOK

**助詞変換** （月）も→（月）を

**金子どうだセンセーの ギャ句上級講座**

同じ「月」でも、天文の月もあれば、年月を表す月もある。この句の場合、ALSOKに勤務する人が、来月頭まで出張だったのが、妻の出産で急に月が替わるのを待たずに家に帰った、という場面も想像できるのじゃ、うほん。ごほん。

## 蜻蛉《とんぼ》 ◆動物　三秋

**季語解説**

秋の澄んだ空を飛び回る昆虫で、透明な二対の翅と、大きな複眼が特徴。古くから日本人に親しまれてきた。

### 赤蜻蛉筑波に雲もなかりけり　子規

明治27年

**原句解説**

茨城県のシンボルである筑波の山並みを仰ぐ大空には雲もない。縦横無尽に飛び回る赤蜻蛉の赤が秋晴れの青空に映えて爽やか。

★★★

### 赤蜻蛉蹲に蜘蛛なかりけり

亜桜みかり

有名句のギャ句は難しい。雲→蜘蛛、はありがちな変換技だが、筑波→蹲※はやや工夫あり。星一つ。

※蹲《つくばい》：日本庭園の景物《けいぶつ》。茶庭に設置される。手を洗うとき「つくばう（しゃがむ）」ことからついた名。元々は茶道の習わし。

**ギャ句技解説**

名詞変換　筑波→蹲

同音異字変換　雲→蜘蛛

# たゝかひのあとを野山の錦かな　子規　明治27年

**季語解説**

野山の錦《のやまのにしき》　◆地理　晩秋

種々の色糸を用いて織り出した織物のように美しく織りなす野山の紅葉のこと。

**原句解説**

かつて戦に明け暮れた古戦場跡を、今は野山の錦が美しく飾っている。

★★★

# 歌会のあとを野山の錦かな

小市

歌会とは、詠んだ歌を披講し批評し合う会。ある意味、歌の戦いと言えるのかもしれない。その余韻のように紅葉が燃えている。場面を転換しながら、古の雰囲気を残した。星一つ。

**ギャ句技解説**

**名詞変換** 変換は一音のみ。た＞かひ→歌会 た（たかい）→う（たかい）

# しづしづと野分のあとの旭かな

子規 明治26年

**季語解説**

野分《のわき》◆天文 仲秋

秋の野の草木をなびかせて吹く暴風のことで、主に台風を指す。

## 原句解説

静々と、野分の後の朝日が昇ってくる。台風の吹き荒れた翌朝は殊に平和に、静かに感じる。清少納言『枕草子』には、「野分のまたの日こそ、いみじうあはれにをかしけれ（野分の翌日は、しみじみとした趣がある）」とある。

# ★☆☆ しづしづと仕訳のあとの赤字かな　佐東亜阿介

原句の「しづしづと」が効いている。仕訳の後の赤字を、静々と見ている人。意外な場面転換の、基本がきっちりできている。星一つ。

## ギャ句技解説

**名詞ダブル変換**　野分→仕訳　旭→赤字

# 見に行くや野分のあとの百花園　子規　明治30年

**原句解説**

野分風に吹き荒らされた百花園。草花がどうなっているのか見に行くことだよ。秋の七草や野草の美しさで知られ、江戸時代から多くの文人墨客、詩人に愛されてきた向島《むこうじま》百《ひゃっ》花園《かえん》の句。

★

## 見に行くや野分のあとの百貨店

洒落神戸

台風直後の百貨店へ行けば、さぞ人出が少なくて快適だろう、と洒落神戸は思っているのだろう。子規と洒落神戸の生きざまの対比が面白い。

**ギャ句技解説**

**名詞変換**　見た目があまり変わらない単語を使うと効果的。百花園→百貨店　（ひゃっか）えん→（ひゃっか）てん

墓参《はかまいり》 ◆人事　初秋

季語解説

盆に先祖の墓参りをすること。墓を洗い清め、香や花を供え、灯籠を灯し、先祖の魂を迎える。

**長崎や三味線提げて墓參**　子規　明治27年

原句解説

さすが長崎の人だ。墓参にも三味線を提げて行くとは粋なものだ。故人はさぞ三味線で歌って飲んで遊ぶのが好きだったのだろう。

★★★

**長崎やえびせん提げて墓参**　小市

こっちの故人は、三味線じゃなくてえびせんが好きだった。これまた、ほろりとさせられるね。墓洗って、線香あげて、えびせん供えて、もう一袋は孫と一緒に墓で開けて食べたんだろう。しみじみと可笑しくていいねえ。星二つ。

**ギャ句技解説**

**名詞変換**　三味線→えびせん　しゃみ（せん）→えび（せん）

**季語解説**

瓢《ひょう》箪《たん》のこと。ふくべともいう。夕顔に似た実がなる。中間にくびれのあるものは乾かして、酒入れにする。

**瓢**　ふくべ・ひさご　◆植物　初秋

# たのしみの其中にあるひさごかな

子規　明治21年

**原句解説**

楽しみがその中に入っている、瓢箪である。楽しみとは、酒。最近はひょうたんに酒を入れて持ち歩く人は見かけないが、天井からひょうたんをたくさんぶら下げた居酒屋などは見かける。

★★★

# たのしみの其中にある産後かな

直本葉子

「ひさご」を「産後」と言い替えた。産後の楽しみ、と言えば待ちに待った赤ちゃんを腕に抱く瞬間だね。【名詞変換】とも言えそうだけれど、この句の場合は、どうだセンセーが言っていた【匂い付変換】！

糸瓜《へちま》◆植物　三秋

季語解説

うり科の植物。巻き髭が棚に巻きつく。夏に黄色の花をつけ、秋に深緑の実がいくつもぶら下がる。茎から化粧水が取れ、咳や痰の薬にもなる。

## 西行に絲瓜の歌はなかりけり　子規

明治31年

原句解説

そういえば、西行に糸瓜の歌はなかったなあ。

# 西城秀樹に絲瓜の歌はなかりけり　純音

そう言えば西城秀樹に糸瓜の歌はなかったよなあ。そりゃないだろ。

**ギャ句技解説**

**人名変換**　西行→西城秀樹

**絲瓜咲て痰のつまりし佛かな**　子規　明治35年

**原句解説**

糸瓜が咲いている。痰の詰まった佛の我であるよ。死に行く自分を「佛」と呼んだ。有名な子規の絶筆『糸瓜三句』※の一句。子規の精神の明るさを見習って、絶筆までもギャ句ってしまうのが我らの務め！

※糸瓜三句：子規の絶筆三句として有名。子規の友人で弟子の河東《かわひがし》碧梧桐《へきごとう》の文によれば、子規は書く前に、虚子を呼ぶよ

うにと碧梧桐に頼んだというので、これが絶筆となるだろうと覚悟の上で詠んだ。布団の上にあおむけのまま、色紙を貼った板に墨を含ませた筆で書いて、書くとすぐ筆を投げ捨てるようにころがしたので、布団が墨で汚れたという。

★★★

## 絲瓜咲て案のつまりし佛かな

すみ

作家か、漫画家か、はたまた俳人か？

★★★

## 絲瓜咲て金のつまりし佛かな

ぼたんのむら

こちらは、ガラリと人から仏像へ意味を変換。仏像の中に金がつまっているのか。うちのスタッフは、大仏の金メッキのような金ピカの仏像を想像したらしい。

ギャ句技解説

名詞変換

変換は一音のみ。痰→案、金　た（ん）→あ（ん）、き（ん）

痰一斗絲瓜の水も間にあはず　子規　明治35年

原句解説

痰が一斗（約十八リットル）も出て、痰の薬である糸瓜の水を飲んでも間に合わない。一斗は、実際の量というよりは、それくらい大量の痰であるということ。

★★★

痰一斗絲瓜の水もしかめ面　華

糸瓜の水をしかめ面で飲んだか？　下五の音が全く合っていないし、意味不明なオチ。自分の中では辻褄合ってるのか、華？

ギャ句技解説

オチ変換　間にあはず→しかめ面

をととひのへちまの水も取らざりき　子規　明治35年

原句解説　へちまから取るのに最も良いとされている一昨日の十五夜のへちま水も、取らずに終わってしまった。

★★★

オッと樋のへちまの水も取らざりき　にゃん

おっと、樋《とい》に絡まる糸瓜の水を取らなかった、ってことか。ありそうな風景ではある。

## をとひのへちまの水も売らざりき

はまゆう

糸瓜水売り。商売のんびりしすぎや。

## をとがひのへちまの蔕も取らざりき

星埜黴円

おとがい（下顎の先）に糸瓜の蔕《へた》を付けたまま取らなかった、ってなんだそのシチュエーションョン？　もしかして、糸瓜に蔕がついたままぶら下がっているのを、糸瓜の下顎に見立てたのか？

# をとひのへちまの水を体中

華

糸瓜水は、化粧水としても有名。体中に塗りたくったのが一昨日の糸瓜の水だったのか……。まあオチといえばオチ。星一つ。

**ギャ句技解説**

**ぎなた変換** をととひ↓オッと／樋

**動詞変換** 変換は一音のみ。取らざりき↓売らざりき　と（らざりき）↓う（らざりき）

**匂い付変換** をととひのへちまの水も↓をとがひのへちまの蒂も

**オチ変換** 水も取らざりき↓水を体中

季語解説

秋頃に鳴き始める蟬。「ツクツクホーシ」「オーシツクツク」などと聞こえる。

法師蟬《ほうしぜみ》 ◆動物　初秋

ツク〳〵ボーシツク〳〵ボーシバカリナリ　子規　明治34年

原句解説

一日中ツクツクボウシの鳴き声ばかり聞いている。子規が病床で記録した日記『仰臥漫録』には、この句と同じ日に「夕飯ヤツク〳〵ボーシヤカマシキ」の句もある。

★★★

ムギワラボーシムギワラボーシバカリナリ　おいしいおから

原句のカタカナ使いをそのまま利用、「ボーシ」つながりでムギワラボーシに。星二つ。

★★★

# つくづく奉仕つくづく奉仕妻は偉大

水木和子

水木和子のギャ句のオチには笑った。下五で原句から離れて大変換しているが、ここまではギャ句技あり、と認めよう。ここまではＯＫ、というギャ句限界のお手本がこれ。

**ギャ句技解説**

**匂い付変換** ツク丶丶ボーシ→ムギワラボーシ　ツク丶丶ボーシ→つくづく奉仕

**オチ変換** ばかりなり→妻は偉大

季語解説

月のない夜、満天の星が輝いて月夜のように明るい秋の夜空。

星月夜《ほしづきよ》 ◆天文　三秋

# 禪寺の門を出づれば星月夜　子規　明治27年

原句解説

禅宗の寺の門を出ると、満天の星が明るく輝く夜空が見えた。

★★★

## マンデラの門を出づれば星月夜　山香ばし

禅寺じゃなくてマンデラ※の門。マンデラ氏を主導者として集う一門といった意味か。南アフリカの星は、いかにも大きくて明るそうではある。星一つ。

※マンデラ：ネルソン・マンデラ。若くして反アパルトヘイト運動に身を投じ、国家反逆罪で終身刑の判決を受け、二十七年間に及ぶ獄中生活の後釈放された。一九九三年ノーベル平和賞受賞、一九九四年南アフリカ共和国大統領就任、一九

九九年引退。

**ギャ句技解説**

**人名変換**と**カタカナ変換**のダブル技。禅寺→マンデラ

**松茸**《まつたけ》◆植物　晩秋

**季語解説**

独特の芳香を持つ。国産松茸は高価なことから、茸《きのこ》の王者として日本人に愛される。中国からの輸入が多い。

# 虚子を待つ松蕈鮓に酒二合

子規　明治30年

**原句解説**

郷里の後輩で句友の虚子を、松茸鮓と酒二合を用意して待ちかねている子規。松山鮓に焼き松茸を載せたのか。焼き松茸を握りにしたのか。

# 女子を待つ松茸寿司に酒二合

冬のおこじょ

★★★

このギャ句の作者が冬のおこじょという名前なだけで、妙に可笑しく星二つあげてしまった。実際には、ヤギ仙人のような飄々とした風貌のおっちゃんだと知っているのだが、もしかして合コンで女子を待っているのか⁉　松茸だから相当気合が入ってるぞ。虚子↓女子とシンプルに変換。

**ギャ句技解説**

**名詞変換**　変換は一音のみ。虚子↓女子　き（よし）↓じ（よし）

**季語解説**

**木槿**《むくげ》　◆植物　初秋

人家の生垣などによく見られる淡紫、淡紅、白色の木の花。三メートル程の高さになる。夏から秋にかけて咲き一日でしぼむ。白い花は薬用になる。

# 花木槿家ある限り機の音　子規　明治28年

**原句解説**

木槿の花が垣根に咲く家が連なる限り、どの家からも機織りの音が響いてくる。子規が今出村に住む俳人村上霽月《むらかみせいげつ》を訪ねた折に詠まれたと言われる。今出村は、「今出鹿摺《いまずかすり》」という絣《かすり》を織る町として知られた。

★★★

# 花木槿家ある限りパターーの音　純音

原句に忠実にギャ句ってある。木槿の垣根が続くような住宅地で、どの家からもゴルフの練習をするお父さんのパターーの音が響いて来るという平和な町の佇まいも原句と同じ。技はシンプルだが、ひとひねりあってよろしい、星二つ！

**ギャ句技解説**

**名詞変換**　機（はた）↓パターー

## 名月《めいげつ》 ◆天文　仲秋

季語解説

陰暦八月十五日、中秋の名月のこと。秋の澄んだ空気に輝く一年中で最も美しい月。

# 名月や笛になるべき竹伐らん　子規　明治29年

原句解説

ああ良い月だ。平安貴族はこんな夜に笛など吹いたのだろう。竹藪の中から名笛になるだろう竹を伐ろう。

★★★

# 名月や姫になるべき竹伐らん　隣安

笛になる竹もあれば、姫が生まれる竹もある。竹といえば、『竹取物語』、かぐや姫という連想からのギャ句。音は遠いがなかなか美しい。星一つ。

ギャ句技解説

名詞変換　笛→姫

紅葉《もみじ》◆植物　晩秋

季語解説

落葉樹の葉が赤や黄に変わること。楓を代表として、桜、柿、櫨《はぜ》、銀杏、欅《けやき》など様々な種類の樹が紅葉する。雪月花に、「紅葉」「時鳥」を加え「五箇の景物」とも呼ばれる。紅葉の時期に冷え込む様は、「紅葉冷」と詠まれる。

# ひとり寐の紅葉に冷えし夜もあらん

子規　明治31年

原句解説

一人寝の布団は冷たい。それが紅葉の色鮮やかな夜の冷えならば、一層孤独に寒々と感じられる。

# ひとり寐の親爺に冷えし夜もあらん

野地垂木

「紅葉」を「親爺」に変換する手抜き技が続出した中では、まあこれがぎりぎり許せた。そりゃ親爺の一人寝は淋しいやろ、冷えるやろ、という親爺への共感か。

**ギャ句技解説**

名詞変換　紅葉→親爺

金子どうだセンセーのギャ句上級講座

紅葉→親爺、この変換はもういらん！　原句は、「ひとりねの／もみじにひえしよもあらん」と上五で切れておるのに、ギャ句は、「ひとりねのおやじに／ひえしよもあらん」、じゃから「一人寝といえば親爺」的発想になるのじゃ。切れを考えてギャ句れ！　うっほん。

夜寒《よさむ》 ◆時候　晩秋

季語解説

晩秋の夜の寒さを言う。寒さの中にも身体の寒さと心の寒さがあり、日本の中でも北国の寒さと南国の寒さはまた違う。

はん鐘の音する夜の寒さかな　子規　明治20年

原句解説

火事の半鐘がどこかで鳴っている、寒い夜だ。「火事」は冬の季語。半鐘の音に寒さを感じている。身に危険は及ばない遠火事だろう。

★★★

半丁の音する夜の寒さかな　のんしゃらん

原句の火事場に代わって、こちらは博打場。緋牡丹※のお竜さんが、壺にサイコロ二つ入れて振り、ばしんと台に置いて、「丁か、半か」というあの音ね。外れて負けると、そりゃ懐は寒いだろ。もうちょっと驚かせて欲しかった。星一つ。

※緋牡丹のお竜さん：昭和四十年代に作られた東映映画『緋牡丹博徒』シリーズで、藤純子（富司純子）が演じた主人公。

**ギャ句技解説**

**名詞変換** 変換は一音のみ。はん鐘→半丁　（はん）し（ょう）→（はん）ち（ょう）

**季語解説** 夜の短い夏を過ぎて、秋になると夜が長くなったことがつくづくと実感される。

**夜長**《よなが》 ◆時候　三秋

# 長き夜や千年の後を考へる

子規　明治29年

**原句解説** 秋の夜長には、長い長い千年先の世の事も考える。

# 長き夜や千年の後を考かへる

ももたもも

「考《ちち》」とは亡くなった父という意味。ももたももは、千年後に考が帰ってくるという。千年後に蘇る父とは悪の父？　ハリー・ポッターの例のあの人？　ＳＦめいてきた。星一つ。

**ギャ句技解説**

**シチュエーション変換**　同じ漢字だが、全く違うシチュエーションに。考へる→考かへる　かんが（へる）→ちちか（へる）

# 冬

winter

## 衿巻《えりまき》◆人事　三冬

季語解説

襟首に巻く防寒具。首巻、マフラーとも呼ばれる。毛織物や、絹糸や毛糸で編んだもの、毛皮で作るものもある。

# 襟巻に顔包みたる車上かな　子規　明治30年

原句解説

襟巻にすっぽりぬくぬくと顔を包んで風を避け、人力車に乗っている。岩波文庫『飯待つ間』に収められた「車上の春光」というエッセイでは、弟子で小説家で歌人の伊藤佐千夫の家を訪ねる折に、人力車に乗って久々に外出し街を見物する愉快な気分が描かれている。

★★★

# 襟巻に顔包みたる車上あらし　こま

人力車から一転して、ギャ句の車は、駐車場に停めた現代車。マフラーで顔を隠し、車上荒※らしをしている風景。もしかしたら年越しのために、餅代を稼いでいるのかもしれない。襟巻という季語にはそんな哀愁がある。映画『万引き家族』※の父と子の姿も彷彿とさせる。

※車上荒らし：車上狙いといって、車の窓を無理に開けたり壊したりして、車両部品や車内に置いてある現金・品物を盗むこと。
※万引き家族：二〇一八年六月八日公開の日本映画。是枝裕和監督作品。血の繋がりのない家族の愛の形を描き、第七十一回カンヌ国際映画祭において最高賞パルム・ドールを獲得。

**ギャ句技解説**

**句い付変換**　車上かな→車上あらし

**大晦日**　おおみそか　◆**時候　仲冬**

**季語解説**

十二月三十一日のこと。大晦日《おおつごもり》・大三十日《おおみそか》・大年《おおどし》とも言う。晦日とは月の末日を意味し、一年の最後であることから大晦日。元旦を翌日に控えた一年の最後の日。

# 漱石が來て虚子が來て大三十日　子規

**明治28年**

**原句解説**

漱石が来て、虚子が来て、友と過ごす大晦日。年の終わりの喜びの句。

★★★

## 漱石が來て虚子が來て「おお味噌か」

のり茶づけ

漱石が來て虚子が來ておお味噌か

こじ

土手鍋をして待つ子規に、漱石と虚子がそう言ったとか？

漱石が煮て虚子が煮て御御御付

堀口房水

漱石も、虚子も、味噌汁を煮た？

漱石が來て虚子が來て大騒ぎ

バロンyou

イエーイ！　大晦日は盛り上がるぜーい！

## 漱石が來て虚子が來て大喧嘩

漱石と虚子が来て大喧嘩始めたら、子規は困るぞな。

板柿せっか／佐東亜阿介（同ギャ句二名）

## 蒋介石が來てキョンシーが來て大三十日

ええ？　死んだ人ばかり来てどうすんだ？

純音

## 掃除機が來て虚子が來て大三十日

アマゾンで掃除機も届いたし、今年も虚子君が大掃除に来てくれるから安心だねえ、って？

直木葉子

年末の大掃除には遅すぎやしないかい？

**ギャ句技解説**

同音異字変換と台詞変換のダブル技。大三十日→おお味噌か

動詞変換　來て→煮て

オチ変換　大三十日→御御御付、大騒ぎ、大喧嘩

人名変換　漱石→蒋介石　虚子→キョンシー

名詞変換　漱石→掃除機

**金子どうだセンセーのギャ句上級講座**

「おお味噌か」は、想定内のギャ句じゃ。御御御付《おみおつけ》は、その仲間じゃ。大騒ぎ、大喧嘩、は大がつく言葉シリーズ。後の二つはワシもびっくりじゃ。漱石→蒋介石、虚子→キョンシーと、近い音を選んだのはえらいぞ。努力は認めるが、顔ぶれが奇妙すぎるんじゃ。ごほ。最後にいたっては、人間ですらない。掃除機が来て、虚子

が来て、大掃除始まってどうすんじゃっ！　できたと思ってもすぐ出さず、ひたすら推敲じゃ、推せ推せ、敲《たた》け敲け、じゃ！　ごーお——ん（除夜の鐘）。

ギャ句添削：成績が来て教師が来て大三十日　金子どうだ

（悪い成績が来て、家庭教師が来て、受験の追い込みをしている大晦日）

**ギャ句技解説**

**名詞変換**　漱石→成績　そう（せき）→せい（せき）、虚子→教師　（きょし）→（きょ）う（し）

## 鳰《かいつぶり》 ◆動物　三冬

**季語解説**

湖沼や川などにいつも浮かび、頻りに小魚などの餌を取る水鳥の種類。鳰と書いて、「かいつぶり」とも「にお」とも読む。鳰《にお》の湖《うみ》と言えば琵琶湖をさす。

# かいつぶり浮寐のひまもなかりけり　子規　明治34年

**原句解説**

浮寝をする暇もなさそうだなあ。忙しく潜って餌を取る働き者のかいつぶりよ。「浮寝鳥」は、日本で越冬する水鳥（鴨・雁・鳰・鴛鴦・白鳥）などが水面に浮かんで眠る様子を表す季語。

## かいぶつに浮寐のひまもなかりけり　星埜黴円

★☆☆

くるりくるりと水に潜る可愛いかいつぶりの情景から、打って変わって怪物登場。この怪物は東京湾海底トンネル・アクアラインから浮上した怪獣シン・ゴジラ[※]、と言い張るうちのスタッフがいるが、ゴジラって浮き寝するんだろうか？　まあ星一つってとこで。

※シン・ゴジラ：二〇一六年七月二十九日公開の日本映画。総監督・脚本は庵野秀明。東宝製作のゴジラシリーズの第二十九作で、十二年ぶりの日本製作のゴジラ映画。

ギャ句技解説

名詞変換に アナグラム変換の要素も加わっている。（かい）つぶり→（かい）ぶつに

懐炉《かいろ》◆人事　三冬

季語解説

小型で携帯用の暖を取る器具。昔は容器の中に灰や揮発油を入れて点火する形態が多かったが、現在は振って温めて貼る薄型の使い捨てカイロが主流。

# ある時は背中へ入れる懐爐哉

子規　明治29年

原句解説

ある時は背中へ入れ、ある時は足や腰を温める懐炉。脊椎カリエスという難病の痛苦と闘い続けた子規に、冬の「懐炉」はなくてはならぬものだったろう。懐炉の温みでほんの少し痛みが和らぐ時、心もほんの少しほぐれる。

# ★★★ ある時は背中へ入れる賄賂かな

次郎の飼い主

何か背中に入れるという句の構造は変わらないが、ギャ句では、入れるものが懐炉→賄賂に変わった。賄賂とは本来、袖の下、つまり着物の袖にスッと差し入れられる百万円の札束。背中に入れる賄賂となると、結構な大枚だ、束五つくらい入る。会議室から出て来たら急に太っている。背広がフタコブラクダみたいになっている。季語はなくなったが、賄賂で心は温かくなった？　星二つ。

**ギャ句技解説**

**名詞変換**　変換は一音のみ。懐爐→賄賂　か（いろ）→わ（いろ）

## びろうどの青きを好む懐爐かな　子規　明治34年

原句解説

外袋のびろうどの青さが好きな懐炉である。父の使っていた懐炉も青いびろうどの布に入っていた。ベンジンの匂いがする懐炉だった。明治時代の子規の懐炉は灰式だろうか？

★★★

## 次郎殿青きを好む懐爐かな

次郎の飼い主

次郎殿は青い懐炉を好む、という。アタシの記憶が確かならば、作者の次郎の飼い主が飼っている（?・）小さな熊の縫いぐるみの名前が次郎だったはず。なかなかお洒落な次郎殿だ。

ギャ句技解説

ぎなた変換　びろうど／の↓次郎／殿

## 元日《がんじつ》 ◆時候　新年

**季語解説**

元日は、一月一日。一年の始めの日。国民の祝日の一つ。門松や鏡餅を飾り、屠蘇を酌み、おせちや雑煮を食べて祝う。傍題の元旦は、元朝《がんちょう》のことで、本来は一月一日の朝を寿《ことほ》ぐ意味がある。

### 元日やきのふはきのふけふはけふ　子規　明治24年

**原句解説**

今日から今年となる元日。昨日はもう去年となってしまった。昨日と今日は、一日違いなのに大違い。

★★★

### 元日やきのこはきのこけしはけし　花節湖

原句のひらがな使いの見た目と音を使って遊んでみた。茸と芥子を並べるのは意味不明だけど、星一つ。

**ギャ句技解説**

**同名詞ダブル変換**

どちらも変換は一音のみ。（きの）ふ↓（きの）こ（け）ふ↓（け）し

# うつかりと元日の朝の長寝哉

子規　明治25年

**原句解説**

うっかりと寝坊してしまった。家族で祝うはずの元日の朝なのに。大晦日の夜更かしのせいだろうか。

※松山市立子規記念博物館のデータベースによると、掲句の季語は「元旦」に分類されているが、著者の判断により元日とした。

★★★

# しつかりと元日の朝の長寝哉

吉野川

うっかり寝すぎた人と、覚悟を決めてしっかり寝た人。やってることは一緒だけど、罪悪感

が違う。確かに一音で逆の意味へ変換してるんだけど、驚かないねえ。

金子どうだセンセーのギャ句上級講座

確かに最小変換じゃが、意味の最大変換がないんじゃよ！　うっかりと長寝して、結局しっかりと長寝した、では飛躍なし。もう一度おさらいじゃ。「最小の音変換による最大の意味変換」こそ、ギャ句ラーのめざすゴール。がんばれ吉野川君、うほん。

元日は佛なき世へもどりけり　子規　明治26年

原句解説

元日という新しく清らかな日には、あの世を忘れ（穢れを避け）て、仏も祀らず、この世のことだけめでたく寿いで過ごそうという句か。「仏の正月」という季語は、仏壇に雑煮を供え墓参をしたりする十六日～十八日頃の行事を言う。

# 元日はほっとけないよもどりけり

吉村よし生

★★★

ギャ句には、原句ほどの深い意味はなし。だが、元日にお母ちゃん一人ほっとけないよ、田舎に帰ってあげよう、という孝行息子の姿が見えて来るからいいねえ、星二つ。

**ギャ句技解説**

台詞変換　佛なき世へ→ほっとけないよ

**金子どうだセンセーのギャ句上級講座**

おほん。このギャ句はいろんな読みができる、とは思わんかね。親孝行息子だけじゃないんじゃ。元日に里帰りせず、一人都会で過ごすと決めた彼女をほっとけなくて、いったん新幹線で田舎へ途中まで帰ったけど、Uターンして彼女のアパートに戻った恋する若者、という設定もありじゃよ。助詞「へ」を取ったのも効いている。

うほん。

# 元日や金の話のかしましき　子規　明治27年

**原句解説**

無事に年を越せたと思えば、元日から金の話でにぎやかなことだ。漢字で書くと、姦しき。漢字を使うとより女が三人金の話をしている雰囲気が出る。

★★★

# 元日や金の話のやかましき　きなこもち

こちらは喧しき。うるさいってこと。かしましいもやかましいもほぼ同じ意味なので、音の変換は少なくても、ギャ句の神髄である意味の変換技が全くないぞ。星一つ。

ギャ句技解説

形容詞変換　かしましき→やかましき

# 大三十日愚なり元日猶愚也　子規　明治34年

原句解説

大晦日は愚である、元日はもっと愚である、という句。大三十日だ、元日だと、世間の人がめでたがるから、誰も彼も右へ倣えでめでたがり、鐘をついたり餅をついたりするのは愚である、ということか。餅を食べるのは愚ではない、と子規は思っていたはず。

★★★

## 大三十日無なり元日猶無也　有本仁政

ギャ句の方は、愚よりもさらに空しい「無」となっている。元日が無ならば、今年は何をする気も起こらないだろうねえ。星二つ！

**ギャ句技解説**

**同名詞ダブル変換**

二ケ所共に変換。　愚↓無

そういう見方もあれば、大晦日も元日もおけら、金がない、の無かもしれんのじゃよ。何にしても、漢字の意味をうまく使った【名詞変換】ダブル技はおみごと。同母音への変換もいいじゃあ内科小児科肛門科、うほん。げほん。

**季語解説**

**氷**《こおり》　◆**地理　晩冬**

※松山市立子規記念博物館データベースの分類では、「天文」となっている。

氷点下になり、水が凍って固まったもの。北国では氷は日中の日ざしにも解けず、次第に分厚くなり、池や湖の上を歩いたりスケートしたりできるようになる。

## 人住まぬ屋敷の池の氷かな

**子規　明治28年**

**原句解説**

無人の屋敷の荒れ果てた庭、黒く淀んだ池、よく見ると美しい氷が張っている。人が住まぬ家は寒々として、池の水も凍りやすいのかもしれない。

★★★

## 人住まぬ屋敷の池の小鬼かな

樫の木

ギャ句の方も原句と同じくらい荒れ果てて寒々とした屋敷。庭の池の氷を割って小鬼が出てくる様子か。日本昔話みたい。最小変換で幻想的な仕上がりはおみごと、星二つ。

**ギャ句技解説**

**名詞変換** 変換は一音のみ。氷→小鬼（こお）り→（こお）に

**炬燵**《こたつ》◆人事　三冬

**季語解説** 床に切った炉の上に櫓《やぐら》を置き布団をかけた切炬燵、置炬燵、電気炬燵と、冬の暖をとるために使われてきた。

# 婆々さまの話上手なこたつ哉

子規　明治29年

**原句解説** 婆々さまが話し上手なのとぽかぽか暖かいのとで、聞き手の子供たちがいつも集まっている炬燵である。

# 婆々さまの歯無しジョーズを見るこたつ

有本仁政

わははははは。これは笑う。話し上手な婆さまもいいが、映画『ジョーズ』※を見ている歯無しの婆さまの姿が最高！　ジョーズの歯を見ながら、ああ、ほれぼれするようないいギザギザ歯だねえ、とか言うのだろうか。しかも中七はよく見ればなんと一音変換！　星二つ！

※ジョーズ：一九七五年のアメリカ映画。スティーヴン・スピルバーグ監督の出世作。平和なビーチを襲う巨大人食い鮫に立ち向かう人々を描き、第四十八回アカデミー賞で作曲賞、音響賞、編集賞を受賞。

**ギャ句技解説**

**匂い付変換** 話上手なこたつ哉→歯無しジョーズを見るこたつ

**ぎなた変換** 話／上手な→歯／無し／ジョーズを

**寒し**　さむし　◆**時候**　三冬

**季語解説**

冬の寒さを言う。体で感じる寒さだけでなく、心理的な寒さにも用いられる。

# 足柄はさぞ寒かつたでござんしよう　子規　明治28年

**原句解説**

足柄はさぞ寒かったでしょう、と台詞のように話しかける句。夏目漱石が松山から東京へ、静岡県と神奈川県の間にある足柄峠越えをして、子規に会いに来てくれた句だという。漱石と子規は寄席の講談ファンで、若い頃一緒に通っていたらしいが、「ござんしよう」という口調もここからか？

★★★

# 足柄はさぞ寒かつたで小三治師匠　赤馬福助

「足柄はさぞ寒かつたで」の後、なぜか小三治師匠※が出て来る。やはり、「ござんしよう」口調に影響されてのギャ句だよね、これ。高座に上がる着物でひょいひょいと足柄峠を旅する小三治師匠を想像すると、そりゃ寒そうだ。

※小三治師匠：十代目柳家《やなぎや》小三治《こさんじ》。東京都新宿区出身の落語家。「高田馬場の師匠」とも呼ばれる。

**ギャ句技解説**

**人名変換**　ごさんしよう→小三治師匠

**金子どうだセンセーのギャ句上級講座**

惜しい！　これが「小さん師匠」じゃったら一字を足しただけの変換で済んだのに、なんで小三治師匠なんじゃ？　まあワシは小三治師匠も好きじゃが。うほん。ごほん。

ギャ句添削：足柄はさぞ寒かつたで小さん師匠　金子どうだ

※小さん師匠：五代目柳家《やなぎや》小《こ》さん。長野県長野市出身の落語家。一九九五年、落語家として初の人間国宝に認定された。

## 寫し見る鏡中の人吾寒し

子規

明治31年

## 原句解説

鏡に写し見る自分の顔は他人のようにそらぞらしく寒々としている、ってことだろうか。わかる気がする。あるいは、鏡に写し見る他人は別人のようで寒々と見え、思わず自分も寒くなった。どちらも寒そうだ。

# 寫し見る蟯虫の人我寒し

★★★

洒落神戸

これは何？　蟯虫検査のフィルム？　ああ、そういやあったねえ、お尻にぺたっと貼るやつ。シートの蟯虫を見ているのか？　検査をしている自分自身の姿を客観的に見ると心寒し、ってことか。はは。星一つ。

金子どうだセンセーのギャ句上級講座

そうやって、笑い飛ばしてもいいんじゃが、ちょっと待った。これは地味だが渋い技じゃ。【名詞変換】で、きょうちゅう→ぎょうちゅう、と濁点を付けただけの変換じゃ。半音変換しておるのだから、星一個半くらい付けてもいいんじゃなかろうか、おほん。

師走《しわす》◆時候　晩冬

季語解説

一年の終わりの月。十二月は師（僧）が忙しく走り回る月だからとか、伊勢の御師と呼ばれる神職が歳末にお札を配って回ったことから出た言葉、などの説がある。

**かちあたる馬車も銀坐の師走哉**　子規　明治25年

原句解説

明治時代。馬車と馬車がかちあたって、もうもうと埃を立て、嘶《いなな》き合ってすれ違う師走の町。銀座のランドマークである三越のある銀座四丁目交差点が目に浮かぶ。

★★★

# かちあたる場所も銀坐の師走哉

じゃすみん

こちらは現代のクリスマスソングの流れる銀座の街。昔の彼とかち合った、別れた夫とかち合った、ダブル不倫デートがかち合ったなんてドラマ設定が師走っぽくていいね。星二つ！

**ギャ句技解説**

**名詞変換** 変換は一音のみ。馬車→場所（ば）しゃ→（ば）しょ

たんぽ ◆人事 三冬

**季語解説**

湯たんぽのこと。最近ではポリエチレン製、ボトル型、充電式など様々な製品があるが、昔は陶製か金属製で、中に熱湯を入れて布にくるみ、寝床や足を温めた。

## 祝宴に湯婆か丶へて参りけり　子規

明治32年

**原句解説**

祝宴とはいえ夜の宴会は寒いので、湯たんぽ持参で用心して参った。

★

## 祝宴に担保か丶へて参りけり　柴紫

祝宴になぜ、どんな担保※を抱えて行くのか、柴紫？ ご祝儀が払えん代わりに鶏でも抱いて行くのか？ 場面がややわかりにくいが、将来、柴紫が詠むだろう傑作ギャ句を担保として、ここは星一つあげておく。

※担保：将来生じるかもしれない不利益を補うことを保証すること、保証する物。

**ギャ句技解説**

**同音異字変換**　湯婆→担保

**季語解説**

**氷柱《つらら》**　◆地理　晩冬

軒庇や木の枝、崖、滝などを垂れる水が凍ってできる。北国では氷が解けずに日々太く長くなってゆく。

※松山市立子規記念博物館データベースの分類では、「天文」となっている。

# 枯盡くす絲瓜の棚の氷柱哉

子規　明治35年

**原句解説**

糸瓜が枯れ尽くし棚から消えた頃、それに代わって氷柱が垂れ下がってきた。

# 枯盡くすファミマの棚の氷柱哉

★★★

洒落神戸

このくだらんギャ句に悔しいが笑わされた。糸瓜の棚→ファミマの棚という変換は、見た目は遠いが、音は結構近い。コンビニの棚が枯れ尽くすってことは、商品がなくなり、冷凍庫が氷柱だけになったというね。豪雪地のコンビニ？※ 店主の夜逃げ？ 糸瓜棚ほど穏やかな風景じゃないってことは確かだ。思い切った変換で想像を膨らませた、星二つ！

※豪雪地のコンビニ：二〇一四年二月、過去の最深積雪を大幅に塗り替える記録的な大雪となり、山中湖村では百八十七センチの積雪を記録した。物資が届かず陸の孤島となり、コンビニ店の棚も徹底的に枯れ尽くした。

**ギャ句技解説**

**名詞変換**と**カタカナ変換**のダブル技。「ま」しか音は合っていないが、母音が揃っているのでリズムはいい。へちま→ファミマ

## 芭蕉忌《ばしょうき》 ◆人事 初冬

季語解説
陰暦十月十二日。俳聖と呼ばれる松尾芭蕉の忌日。時雨の多い季節なので、時雨忌とも呼ばれる。

**芭蕉忌や吾に派もなく傳もなし** 子規 明治31年

原句解説
今日は芭蕉忌である。自分には、芭蕉のような流派も相伝すべき何ものもないけれど。

★★★

**芭蕉忌や吾に歯もなく銭もなし** 国東町子

歯もなく、銭もなし、とは侘しいが、歯がなければ、歯医者にも行かんでいいので、銭がなくても大丈夫。星一つ。

**ギャ句技解説**

**同音異字変換** 派→歯

**名詞変換** 伝→銭

**季語解説**

元日の空のこと。新年の改まった気分で仰ぐ大空は、常とは違う景色。

## 初空《はつぞら》 ◆天文 新年

# 初空や鳥は黒く富士白し

子規 明治24年

**原句解説**

元日の清らかな大空を背景に、鳥はあくまでも黒く、富士山は真っ白に美しい。これは「鳥」という字になっているが、黒い鳥といえば、カラスのことか？

★★★

# 初空や鳥は黒くフン白し

深草あやめ

真っ白な富士山が、白いフンて……。そのまんま……当たり前の句になった……。

**ギャ句技解説**

**名詞変換**と**カタカナ変換**のダブル技。富士↓フン

初冬《はつふゆ》 ◆時候　初冬

季語解説

冬になったばかりの頃。樹木も次第に枯れ始め、動物の姿や鳴き声も少なくなり、山や里の姿も寒々として淋しい気配が漂う。

初冬に何の句もなき一日かな　子規　明治25年

原句解説

冬になって庭に花もなく、空も曇り、池も淀み、気も晴れず、一句もできない一日だった。

★★★

初冬に何の苦もなき一日かな　花節湖

一句も詠めなかったのが、何の苦労もないという、ささやかな日常の幸せを感じられる句になったね。

ギャ句技解説

同音異字変換

句→苦

蒲団《ふとん》◆人事　三冬

季語解説

布団は一年中使うものだが、布団の暖かさを最も感じる季節といえば冬。

寄宿舎の窓にきたなき蒲團哉　子規

明治29年

原句解説

寄宿舎の窓に干されているのは、まあなんと汚い布団だろう。

# 寄宿舎の窓に北なき蒲團哉

★★★

松永裕歩

北に窓のない寄宿舎。そこに布団が干してある。昔、下宿先の友達の珈琲色の布団が元は白かった、と聞いて驚愕したのを思い出す。窓の向きは想像するしかないが、西日は当たっていそうな気がするなあ。

**ギャ句技解説**

「同音異字変換」と「ぎなた変換」のダブル技。きたなき→北なき　きたなき→きた／なき

**季語解説**

冬《ふゆ》◆時候　三冬

立冬から立春の前日までを冬という。初冬（十一月）、仲冬（十二月）、晩冬（一月）の三冬からなる。木枯らしが吹き、雪が降り、年が終わり、年が始まる。

# 筮竹に塵なき冬の机かな　子規　明治30年

**原句解説**　易占で使われる五十本の竹ひごのような筮竹《ぜいちく》。筮竹を捌く占い師の机は、塵一つなく寒々しい。

## ★★★ 主の居ぬ塵なき冬の机かな　春爺

「ぜいちくに」と「ぬしのいぬ」は、えらい遠いぞ、大丈夫か春爺？

**金子どうだセンセーのギャ句上級講座**

遠い。果てしなく遠いぞ、春爺。これはもうギャ句じゃのうて、別の句じゃ。考えすぎるとますます離れていってしまうぞ。ぜいちく、ぜいにく……という風に、口に出した感じが似た音でまずギャ句るところから始めるのじゃ、こほん。

ギャ句添削：贅肉に冷たき冬の机かな　金子どうだ

## 冬籠《ふゆごもり》 ◆人事　三冬

**季語解説**

北国などで雪に降り込められ、家に籠って手作業をしたり手芸や読み書きに無聊《ぶりょう》を慰めたりすること。現代は、かつてのような冬籠りのイメージとは変化してきている。

# 子をなぶり子になぶられて冬籠

子規　明治25年

**原句解説**

なぶるとは、からかうこと。外で遊べず退屈なので大人が子供をからかって遊ぶ。子供も負けずに大人をからかう。口で敵わない時は、首っ玉にかじりついたり、背中に飛びついたり。幼い頃の我が家にも居候の叔父達がいて、そんな風に遊んでもらった。

★☆☆

# 仔をねぶり仔にねぶられて冬籠

いさな歌鈴

このギャ句は、珍しい技を使っているね。「子」に人偏をつけて、「仔」。これで動物の子だとわかる。犬の親子だろうか。ねぶり、ねぶられ、っていう親子の睦まじさ、温かさが出た。星一つ。

**ギャ句技解説**

**動詞ダブル変換** どれも変換は一音のみ。な（ぶり）・な（ぶられ）→ね（ぶり）・ね（ぶられ）

**部首変換** 子→仔

# 冬籠り長生きせんと思ひけり　子規　明治29年

**原句解説**　冬籠りして、動物が冬眠してエネルギーを蓄えるように英気を養い、長生きをしようと思う。

## 冬籠り長い煙管と思ひけり　小市

★★★

冬籠りしている人が長い煙管を吸いながら、それにしても長いなあ、と思っている。わはは。バカバカしいが、長火鉢※の前で煙管を吸っているような季節感もあり、よく見ればたった一音しか変わっていない。星二つ。

※長火鉢《ながひばち》：冬の季語。四角い火鉢の中に炭を熾《おこ》し手足を焙《あぶ》って温める。部屋全体を温めることはできないが、鉄瓶をかけたり、燗をつけたり、昔の暮らしになじみ深いものだった。小さな火鉢は、手焙りという。

**ギャ句技解説**

**ぎなた変換** 句の切れ目と漢字を変換。長生き／せんと→長い／煙管と

## もろもろの楽器音無く冬籠る　子規　明治30年

**原句解説** ピアノ、コントラバス、太鼓、小太鼓、木琴、ホルン、などが寒々と並ぶ冬の部屋。奏でる人がいない楽器たちの冬籠りである。

★★★

## ぼろぼろの楽器音無くヒアウィゴー　板柿せっか

めちゃくちゃ貧乏なバンドなんや。楽器はぼろぼろで音が出ない、季語もなくなってる。が、メンバーの気合だけはある。「ヒアウィゴー」※と叫んでる。もろもろ→ぼろぼろ、の音変換は

わかるが、下五の変換はどうなんだ？

※ヒアウィゴー：Here we go! Let's go! と同じく、「さあ、行こう！」という意味。アニメの主題歌、Jポップ、歌謡曲の歌詞などにも多用される。

**ギャ句技解説**

**匂い付変換** もろもろ↓ぼろぼろ

**台詞変換** 冬籠る↓ヒアウィゴー

**季語解説**

雪山、枯れ山、雪嶺《せつれい》、冬山家《ふゆやまが》、冬峰《ふゆみね》など様々な冬山の総称。

**冬山**《ふゆやま》 ◆**地理** **三冬**

※松山市立子規記念博物館データベースの分類では、「天文」となっている。

# こゝらにも人住みけるよ冬の山

**子規**

**明治31年**

**原句解説**

人里離れた冬の山奥に人家があり、屋根から煙が出ている。ここらにも人が住んでいるよ、という感嘆の句。

# ほこらにも人住みけるよ冬の山

★★★

片野瑞木

『一遍聖絵』の一枚と次の一枚みたいに、原句に場面が繫がっているのがうまい。「ほう、ここらにも人が住んでいる」と冬の山を歩いていて、ふと見た山のお堂の小さな祠《ほこら》にも、手ぬぐいが干してあって、「ああ、ほこらにも……」と呟いた。中七・下五を裏切らない穏やかな一字変換。どこらにも、そこらにも、なんて安易にやりそうだけど、ちゃんと祠が見えてくるのが好きだ。技を誇らぬさりげない技に、星三つ！

**ギャ句技解説**

**名詞変換**　一音のみの変換で、同じ母音なのもＧｏｏｄ。こ（ゝら）→ほ（こら）

季語解説

蓬莱《ほうらい》　◆人事　新年

中国の伝説で仙人が住む不老不死の蓬莱山に見立てた正月の縁起物。三方に松竹梅を立てて楪《ゆずりは》などを敷き、米、海老、昆布、柿、栗など山海の味を飾る。

# 動きなき蓬莱山の姿哉　子規　明治26年

原句解説

正月飾りの蓬莱は、新年の山のごとく厳かに静かに微動だにしない。あるいは、滋賀県にある琵琶湖を一望できる蓬莱山を正月飾りの蓬莱に見立ててめでたく見ている光景か。

★★

## 動きなきほーら遺産の姿哉　小野更紗

どっちにしろ美しい蓬莱山を詠んだ原句から一転して、こちらは遺産の行方に四苦八苦する犬神家[※]の一族みたいな家族の姿。ほーら、と言われると、妙に怖い。星二つ！

※犬神家の一族：遺産相続の悲劇と言える横溝正史の長編推理小説で、金田一耕助シリーズの一つ。何度も映画化やドラマ化がされている。

**ギャ句技解説**

**同音異字変換**と**ぎなた変換**のダブル技。蓬莱山の→ほーら遺産の　ほうらいさん→ほーら／いさん

**季語解説**

**松の内**《まつのうち》 ◆**時候　新年**

元日から七日までは、「門松」や「注連飾り」を門前や玄関に飾って新年を祝う。その間を「松の内」と呼ぶ。八日に飾りを取り払うと、「松過ぎ」となる。

# 銭湯を出づる美人や松の内

**子規　明治33年**

**原句解説**

銭湯ののれんから美人が出て来た、松の内のめでたい雰囲気の中で、なおさら美しく見える。

★★★

# 銭湯を出づる美人やうちのつま

七瀬ゆきこ

銭湯ののれんから美人が出て来たなあ、あ、うちの妻だ！　というノロケと驚き。洒落神戸のギャ句かと思ったら七瀬ゆきこの自画自賛だったのか。「まつのうち」を逆読み【アナグラム変換】して「うちのつま」とはブラヴォー！　まさにこの「や」は感嘆符。星三つ！

**ギャ句技解説**

【アナグラム変換】松の内→うちのつま　まつのうち→うちのつま

焼藷《やきいも》◆人事　三冬

**季語解説**

大きな窯や鍋で蒸し焼きにした薩摩芋。石焼き芋の屋台は冬の町の人気の風物。

# 焼芋をくひくひ千鳥きく夜哉　子規　明治25年

**原句解説**

焼芋をぬくぬく食べながら、寒そうな千鳥の声を聞いている夜である。現代のお茶の間なら、「焼芋をぬくぬく食べながら、テレビで漫才コンビの千鳥のネタを聞いている夜、にちがいない」って、うちのスタッフが言っている。

★

## 焼芋をくひくひニトリ行く夜哉　純音

これも思い切り、現代の場面。焼芋を食い食いニトリ※に行く人。何を買いに行くのかな?

愛猫のペット用ベッドでも買いに行ってそう!

※ニトリ：創業地の北海道をはじめとして日本全国に店舗を置くインテリア・家具小売業大手企業。ニトリの店名は創業者の似《に》鳥《とり》昭《あき》雄《お》の名字から。

**ギャ句技解説**

シチュエーション変換

千鳥きく→ニトリ行く

雪《ゆき》　◆天文　晩冬

**季語解説**

春の花（桜）、秋の月と並ぶ、俳句三大季語の一つ。大気中の水蒸気から成る氷の結晶が空から落ちてくる天気を雪という。一片も雪、降り積もった状態も雪。

# むつかしき姿も見えず雪の松

子規　明治25年

**原句解説**

雪を冠った松の姿は円やかで優美。「むつかしき姿」（威容）も今は見えない。昔から臥龍《がりゅう》の松、遊龍《ゆりゅう》の松、陸舟《りくしゅう》の松、根上《ねあ》がり松などの勇ましく勢いのよい名前を持つ松が多く、枝ぶりも雄渾《ゆうこん》で魁偉《かいい》なもの。

# むかつきし姿も見えず雪の松

いさな歌鈴

「むかしき」という言葉から、いかつい松の姿を想像し、次に円やかな冠雪の松の姿を想像する、という純粋写生の原句を味わう喜びから打って変わって、このギャ句には、くだらないドラマがある(笑)。さっきまで松の木の下にいて、自分に嫌なことを言っていたムカつく奴がいなくなった、帰った、清々した、という句。雪の松の清浄なイメージは保たれている。

**ギャ句技解説**

**アナグラム変換** むつかしき→むかつきし

# いくたびも雪の深さを尋ねけり　子規　明治29年

**原句解説**　今どのくらい雪が積もったか、と幾度も尋ねている病床に伏す子規。子規の境遇を重ねなければ、雪の積もり具合を尋ねる理由をいくつも想像でき、読みが広がっていく。

今回最も多かった「柿くへば鐘が鳴るなり法隆寺」（203ページ）のギャ句に続き、二番目に多かったのがこの句で二十六句の応募。同じ発想の泥沼から浮かび上がってきたいくつかの星付きギャ句を紹介しよう。

★★★

## いくたびも愛の深さを尋ねけり　一純。

雪→愛と漢字を一字変換して別のドラマは生まれたが、季語は消えた。純粋な冬の一場面から、不純な愛の場面へ転換している。「ねえねえ、私のこと、どのくらい愛してる？」と、愛の深さを幾度も問わねばならぬ愛情関係にはやや問題あり?!

## いくたびも罪の深さを尋ねけり

家弐／こま
（同ギャ句二名）

雪→罪と変換して、教会で懺悔している人、刑務所で反省している人、などの場面に変えている。こちらも季語はないが、愛の深さを尋ねる人よりは純粋かもしれない。

## いくたびも雪の甘さを尋ねけり

すみ

「雪はどんな味か？　甘いか？」と、幾度も尋ねている好奇心旺盛な子規の姿か？

## いくたびも脇の甘さを尋ねけり

★★★

大塚迷路

雪の深さ→脇の甘さ、中七のフレーズをまるごと変換した。季語がなくなって、人生訓的な趣きの句となった。「あんたは脇が甘いから、そうやって何度でもつまらん女につけ込まれるの。何度言ったらわかんのよ」と、行きつけのバーのマダムに諭されている男の姿が浮かぶ。星二つ。ちなみに、うちのスタッフの一人は、このギャ句を「ゴルフレッスンを受けている人」という風に読んだ。スポーツの世界も脇が甘いと駄目だ。

## 行く旅や雪の深さを訪ねけり

★★★

レミオン

いくたび→行く旅、と、ひらがなに漢字を当て嵌めたら、まるで雪深い里を訪ねて歩くレポーターのような姿が浮かんで来る。行く旅や、としたので切れ字が「や」と「けり」の二つになってしまったのは惜しい。

## いくたびも雪のKafkaを尋ねけり

★★★

吉村よし生

見た目が劇的に変わっているが、実は、さ→か、の一音しか変わっていない。たったの一音で村上春樹ワールドのような詩的なムードを醸し出したのはあっぱれ！　星三つ！

## いくたびも雪の深坂尋ねけり

★

吉村よし生

深坂さんの家を尋ねたのか？　福井県福井市の深坂町か、はたまた雪深い坂か、諸説ある中で、ＴＶ番組のディレクター深坂氏の顔が思い浮かび、個人的には受けた。

**ギャ句技解説**

**名詞変換** 雪→愛、罪、脇　深さ→甘さ、深坂
**同音異字変換** いくたび→行く旅
**動詞変換** 尋ね→訪ね
**アルファベット変換** に **アナグラム変換** の要素も加わっている。深さ→Kafka（ふか）さ→か（ふか）

# うつむいて谷みる熊や雪の岩

子規　明治29年

**原句解説**
雪の積もった岩の上から、うつむいて谷底を見ている熊。餌を探しているのか。厳しい冬の自然の姿。

## うつむいて谷みる夫や雪の岩

★★★

純音

雪の積もった岩の上から、うつむいて谷底を見ている夫。もしや自殺でも考えているのでは、と心配する妻の姿か、それとも後ろから忍び寄って突き落とすなら今、と考えているのか（笑）。

ギャ句技解説

名詞変換　変換は一音のみ。熊→夫　く（ま）→つ（ま）

# 逢ふ人の皆大雪と申しけり　子規

明治31年

**原句解説**

逢う人逢う人、来る人来る人が口を揃えて、「大雪ですね」と言う。庭にも雪が積もってはいるものの、町の雪を見て来た人に言われると、大雪の実感が湧く。同じ漢字で、二十四節気「大雪《たいせつ》」という時候の季語もあるが、逢う人逢う人皆が口を揃えるのだから「おおゆき」だろう。

★☆☆

## 逢ふ人の皆大切と申しけり

吉村よし生

ギャ句は「おおゆき」を「たいせつ」と読み、それをさらに漢字変換した。逢ふ女、逢ふ女に、「君だけが大切」と言ってる男の姿か？　それはそれで「逢ふ」という漢字が生きる。原句の方は、「逢ふ」とまで言う必要があるのか？　という疑問も。一期一会ってことか？　今度子規博※の竹田先生※にお逢いしたら、「逢ふ」を使っている意味についてお聞きしてみよう。

※子規博：愛媛県にある松山市立子規記念博物館の愛称。子規の人生や俳句や文学思想、また子規を育んだ松山の風土・文化について学べる文学系博物館。本書のギャ句の原句も子規博のデータベースに拠っている。

※竹田先生：子規記念博物館の竹田美喜総館長。よく通る声とにこやかな笑顔が魅力。「正岡子規の故郷で、子規と語り合いませんか」と、仰る。

**ギャ句技解説**

**同音異字変換**　掲句の読みは「おおゆき」だが、同じ漢字を使った季語「たいせつ」と読んで変換。大雪→大切

**雪見**　ゆきみ　◆人事　晩冬

**季語解説**

花見や月見と同じく、雪景色を愛でるために名所へ出かけること。寺社や展望台などの雪見茶屋、雪見舟、雪見酒なども季語。

# 家買って今年は庭の雪見かな　子規　明治24年

**原句解説**　いよいよ家を買って、今年から庭で雪見ができるなあ。

★★★

## 家買って今年は庭の不気味かな　島崎伊介

めでたい原句に対して、ギャ句に漂う不吉感。せっかく家を買ったのに、庭に幽霊が出るのか？　事故物件なのか？　庭に何が出ようが三十年ローンが足かせになって引っ越せないという事情も見えてくる。たった一音の変換で人生の天国と地獄を見せたのはみごと。星三つ！

**ギャ句技解説**

**名詞変換**　変換は一音のみ。　雪見→不気味　ゆ（きみ）→ぶ（きみ）

**季語解説**

終わり行く年をしみじみと感じる季語。「師走」「年の瀬」などは慌ただしさを述べる季語。過ぎ去る年を振り返り惜しむ季語は、「年惜しむ」。

**行く年**《ゆくとし》 ◆**時候　仲冬**

# 行く年を母すこやかに我病めり

**子規　明治29年**

**原句解説**

母は健やかに今年も過ぎて行く、私は病んでいるけれど、来年も是非健やかで、よろしく頼みます、という心もちだろうか。

# 行く年を母すこやかにモンゴメリ

★★★

片野瑞木

ギャ句も同じ路線で、母は健やかにモンゴメリを読んで年越しをしてると。われやめり、もんごめり、音の雰囲気が、なんだか好き。中学の頃から赤毛のアンを読み始め、アンに励まされて生きてきた私としては、アンに感謝を込め、星一つ。

**ギャ句技解説**

人名変換と カタカナ変換のダブル技。我病めり→モンゴメリ

夏井いつき（なついいつき）
俳人。1957年生まれ。愛媛県松山市在住。8年間の中学校国語教諭を経て転身。俳句集団「いつき組」組長。創作執筆に加え、句会ライブなど「俳句の種まき」活動を積極的に行なう。また、全国高等学校俳句選手権大会「俳句甲子園」の創設に関わる。「プレバト!!」をはじめ、テレビ・ラジオ・雑誌・新聞・ウェブなどの各メディアで活躍。2015年から俳都松山大使を務める。主な著書は『夏井いつきのおウチde俳句』（朝日出版社）、『夏井いつきの日々是「肯」日』（清流出版）など。

子規《しき》を「ギャ句《ぐ》」る
名句《めいく》をひねると「ギャ句《ぐ》」になりました

2020年7月30日初版1刷発行

著　者 ―― 夏井いつき
発行者 ―― 田邉浩司
装　幀 ―― アラン・チャン
印刷所 ―― 萩原印刷
製本所 ―― 国宝社
発行所 ―― 株式会社光文社
東京都文京区音羽1-16-6（〒112-8011）
https://www.kobunsha.com/
電　話 ―― 編集部03（5395）8289　書籍販売部03（5395）8116
業務部03（5395）8125
メール ―― sinsyo@kobunsha.com


ISBN 978-4-334-04485-5

1055
## 搾取される研究者たち
産学共同研究の失敗学
山田剛志
突然届いた特許の「権利放棄書」、企業からの無理難題、研究者を守らない大学、心を病む助教、院生、学生……。産学共同研究政策は、研究者のためになっているのか?
978-4-334-04465-7

1056
## 芸術的創造は脳のどこから産まれるか?
大黒達也
創造性とは何か? 脳科学や計算論、人工知能に関する膨大な論文を通じて、「天からの啓示」とされる閃きのメカニズムを解析。カギは「脳の潜在記憶」にあった。
978-4-334-04466-4

1057
## 「自分らしく生きて死ぬ」ことがなぜ、難しいのか
行き詰まる「地域包括ケアシステム」の未来
野村晋
何が「地域包括ケア」の実現を不可能にしているのか。現役厚労官僚が柏市や岡山市での実践を基に具体的な行政手法を紹介。自治体や医療・福祉関係者、企業や市民に次の一歩を促す。
978-4-334-04467-1

1058
## ぼくが見つけたいじめを克服する方法
日本の空気、体質を変える
岩田健太郎
自らもいじめられっ子だったという著者が、数々の経験の末に導き出した克服法とは。ダイヤモンド・プリンセス号の告発で注目の感染症医による、同調圧力を打ち破るための一冊。
978-4-334-04474-9

1059
## ホークス3軍はなぜ成功したのか?
才能を見抜き、開花させる育成力
喜瀬雅則
千賀滉大、甲斐拓也、牧原大成、石川柊太、周東佑京、大竹耕太郎――なぜホークスだけが3軍制で大成功を収めたのか? 多くの選手・関係者への取材を元に解き明かす。
978-4-334-04470-1

1060
管理栄養士が伝える
## 長生き食事術
人生100年時代の「新・栄養学」入門
麻生れいみ

「食」を変えればカラダと人生が変わる――。明日の健康を手に入れる、未来の病気のリスクを減らすための「日常生活で何をどう食べるか」。シーン別の食事マネジメント術も公開。

978-4-334-04471-8

1061
## 深宇宙ニュートリノの発見
宇宙の巨大なエンジンからの使者
吉田滋

南極点の氷河に突き刺さった「宇宙からの使者」とは？　日本の物理学分野の最高峰・仁科記念賞を受賞した著者による、「高エネルギーニュートリノ」の発見をめぐるスリリングな物語。

978-4-334-04472-5

1062
フェイクニュース時代を生き抜く
## データ・リテラシー
マーティン・ファクラー

虚偽に流され情報の蛸壺に陥らない方法をNYタイムズ元記者が指南。V字回復した同社にメディア再興の道も探る。日本の新聞は権力を離れて調査報道に注力し、紙信仰を捨てよ！

978-4-334-04473-2

1063
## 業界破壊企業
第二のGAFAを狙う革新者たち
斉藤徹

アマゾン、ウーバーなどに代表される、業界秩序や商習慣にとらわれず、斬新なビジネスモデルやテクノロジーによって、業界で〝一人勝ち〟する企業を一挙紹介。【大前研一氏、推薦】

978-4-334-04475-6

1064
歴史秘話
## 外務省研修所
知られざる歩みと実態
片山和之

外交官・人間としての「7つの美徳」と『勘』の養い方」とは？　華やかな外交の表舞台の対極に位置し、国家の命運をも左右しかねない「黒子の存在」を、現役の所長が初めて綴る。

978-4-334-04434-3

1065
## 笑わせる技術
世界は9つの笑いでできている
西条みつとし
「共感」「自虐」「裏切り」「安心」「期待」「無茶」「発想」「リアクション」「キャラクター」——日常会話から合コン、商談、スピーチ、お笑いのプロを目指す人まで使える新教科書。
978-4-334-04459-6

1066
## 「高学歴ワーキングプア」からの脱出
水月昭道
『高学歴ワーキングプア』刊行から13年、研究者であり僧侶でもある著者が、紆余曲折ありながらも行き着いた境地とは？　元ポスドク、前野 ウルド 浩太郎氏との対談を収録。
978-4-334-04476-3

1067
## 日本の少子化対策はなぜ失敗したのか？
結婚・出産が回避される本当の原因
山田昌弘
1・57ショックから30年、出生率の低迷が続く日本。家族社会学者である著者が、少子化対策の的外れだった点を分析。いま直視すべき、日本に特有の傾向・意識、そして変化とは？
978-4-334-04468-8

1068
## 炎上CMでよみとくジェンダー論
瀬地山角
炎上する広告には必ず理由があり、近年その多くがジェンダーへの無理解を背景としている。炎上の構造を4つの象限で捉え直す、東大名物講義の「番外編」。
978-4-334-04469-5

1069
## 日本の映画産業を殺すクールジャパンマネー
経産官僚の暴走と歪められる公文書管理
ヒロ・マスダ
「日本再生の柱」と叫ばれたクールジャパン政策はなぜ失敗したのか？　現役映画プロデューサーが官民の腐敗と怠慢を暴くとともに、「現場」に効く改革案を提言する。
978-4-334-04448-0

1070
## 座右の世阿弥
### 不安の時代を生き切る29の教え
齋藤孝

「いま、ウケることをやる」「思い込みにとらわれない」……。世阿弥の『風姿花伝』『花鏡』には「名言」が満載だ。その世阿弥の言葉を、今日的なわかりやすい表現で一挙紹介する。

978-4-334-04477-0

1071
## 高城式健康術55
### 医師が教えてくれない家庭の医学
高城剛

「僕は心地よく生きるために健康に気を配っている」――絶えず世界各地を行き来しつつ活躍を続ける著者が、パフォーマンスの質を保つために注目・実践する次世代の最新医療とは。

978-4-334-04478-7

1072
## 沖縄から貧困がなくならない本当の理由
樋口耕太郎

「沖縄問題」を突き詰めることは、日本の問題を突き詰めることであり、それは、私たち自身の問題を突き詰めることだ――。「コロナ後の世界」のありかたをも問う、鮮烈の問題作。

978-4-334-04479-4

1073
## ＡＶ女優の家族
寺井広樹

親にはデビュー前に話したのか、兄妹には何を伝えたのか、そして子供には自分の仕事を明かすのか？　女優たちが赤裸々に語る「家族」の話から、新しい時代が見えてくる。

978-4-334-04480-0

1074
## ＡＩとカラー化した写真でよみがえる戦前・戦争
庭田杏珠
渡邉英徳

戦前から戦後の貴重な白黒写真約３５０枚を最新のＡＩ技術と、当時者への取材や資料をもとに人の手で彩色。カラー化により当時の暮らしがふたたび息づく。

978-4-334-04481-7

1075
# 文学こそ最高の教養である
駒井稔＋「光文社古典新訳文庫」編集部 編著

社会を、人間を、広く深く知るのに最も役立つのが文学だ――。紀伊國屋書店新宿本店の人気イベントが書籍化。名翻訳者14人が初歩的な所から語りでナビゲートする古典文学入門編。

978-4-334-04482-4

1076
# 天文学者が解説する 宮沢賢治『銀河鉄道の夜』と宇宙の旅
谷口義明

賢治には未来が見えていた――。このユニークな童話はどのように構想され、賢治は宇宙に何を見ていたのか。これまでにないアプローチで作品の魅力に迫る。【渡部潤一氏推薦！】

978-4-334-04483-1

1077
# 南極で心臓の音は聞こえるか 生還の保証なし、南極観測隊
山田恭平

「南極大陸の奥に進むと、静かすぎて己の心臓の音が聞こえるという」――そんな伝説めいた話から南極を目指した著者による、1年4カ月の滞在記。南極観測隊のリアルが分かる一冊。

978-4-334-04484-8

1078
# 子規を「ギャ句」る 名句をひねると「ギャ句」になりました
夏井いつき

名句をもじって味わう遊びへの誘い。俳句の辛口先生が正岡子規をギャ句った作品を募集し採点。原句があるから誰でも始められ知識と技を同時習得。最小変化で最大効果を狙え！

978-4-334-04485-5

1079
# 小池百合子 権力に憑かれた女 ドキュメント東京都知事の1400日
和田泰明

【緊急出版！】メディアの特性を熟知した政治家・小池百合子。築地市場移転、東京五輪、新型コロナ対策など、4年間の彼女の実績を、「週刊文春」記者が徹底取材で明らかにする。

978-4-334-04486-2